manual de ortografía

manual de ortografía
Mariano Cirera - Susana Rafart

Realización:

Redacción del texto:

Mariano Cirera Zapatero
Licenciado en Filosofía y Letras (Sección Pedagogía)
Catedrático de Lengua y Literatura Española de Instituto de Bachillerato

Susana Rafart Corominas
Licenciada en Filología Hispánica
Profesora de Lengua y Literatura Española de Instituto de Bachillerato

Coordinación y edición:

Montserrat Verón Jané
Licenciada en Filosofía y Letras (Sección Historia)

© 1993 Verón/editores - Rda. Gral. Mitre, 163 - 08022 Barcelona

Edición en rústica
ISBN 84-7255-176-8
Primera edición: diciembre 1993
Segunda edición: octubre 1995
Depósito legal: B. 38.356-1995

Edición cartoné
ISBN 84-7255-177-6
Primera edición: diciembre 1993
Segunda edición: octubre 1995
Depósito legal: B. 38.356-1995

Impreso en España
Printed in Spain

Fotocomposición: Puntoycoma - Manso, 15-17 - Barcelona
Impreso por Gràfiques 92, S.A. - 08930 Sant Adrià de Besòs

Introducción

Según la **Real Academia de la Lengua**, la **Ortografía «es el conjunto de normas que regulan la representación escrita de una lengua»**. Estas normas a que se refiere la definición nos enseñan a representar correctamente los fonemas y las palabras por la acertada utilización de las letras y de los signos auxiliares de la escritura; es decir, nos enseñan a escribir con corrección.

Los sistemas de escritura están basados en las unidades naturales del lenguaje hablado: fonemas, sílabas y palabras. Lo ideal sería que en una lengua existiera siempre una correspondencia exacta entre el fonema y la letra, de tal modo que a cada fonema le correspondiera una única letra. Sin embargo, eso no es así, puesto que los fonemas experimentan continuos cambios, evolucionan, y la escritura es mucho más estable, más conservadora. Escribimos, por ejemplo, *«hacer»* y pronunciamos, en cambio, *«acer»*.

Cuando una lengua oral se representa por escrito siempre se intenta que su escritura se ajuste lo mejor posible a su pronunciación real y, por ello, son frecuentes las revisiones de la Ortografía, con el fin de adecuarla a la pronunciación exacta de las palabras y evitar que la lengua escrita sea muy distinta a la hablada. Esto es lo que ocurre en lenguas como el inglés o el francés, en las que existe un notorio desajuste entre la pronunciación y la representación escrita. En el primer caso, la palabra *«age»* (edad), por ejemplo, no presenta en su pronunciación /eiŷ/ ninguna correspondencia entre sus letras y sus sonidos; lo mismo ocurre con la palabra francesa *«eau»* (agua), cuya pronunciación es /o/.

En español, sin embargo, las diferencias entre la pronunciación y la expresión escrita no son tan grandes, pues la escritura reproduce con bastante fidelidad lo que se emite con la voz. Debemos apuntar, a pesar de todo, algunos desajustes evidentes:

Pronunciación	Escritura	
b	b	*banco*
	v	*villa*
	w	*wagneriano*
z	c(e, i)	*cecina*
	z(a, o, u)	*zarza*
g	g(a, o, u)	*galgo*
	gu(e, i)	*guijarro*
-	h	*hongo*
i	i	*pie*
	y	*ley*
j	j(a, o, u)	*jabón*
	g(e, i)	*gente*
k	k	*kilo*
	c(a, o, u)	*canto*
	qu(e, i)	*querer*
rr	r	*rosa*
	rr	*arroz*
s	s	*sal*
	x	*xilófono*

Se observa que la correspondencia no es absoluta. Una única letra puede representar a más de un fonema, como ocurre con la **c**, que puede representar al fonema /k/ en *casa* y *actual*; o al fonema /z/ en *cinco* y *cero*.

Una letra puede representar dos fonemas a la vez: la **x** representa a /k/ + /s/ en *examen*.

Un fonema es representado a veces por dos letras, como en el caso de los grupos **ch, ll, gu, rr** y **qu**: *chico, llama, guiso, arroz* y *quiere*, respectivamente.

Un mismo fonema puede ser representado por letras distintas, como ocurre con /**b**/, que puede representarse con la letra **b** o con la letra **v**: *beber* y *vino*.

Por último, puede ocurrir que una letra no represente ningún fonema, como la **h**: *hombre, humanidad*.

Tales particularidades, que crean problemas en la escritura, deben regularse por unas **reglas ortográficas.** Debemos constatar que en la mayoría de los casos esas **reglas** responden a criterios aparentemente arbitrarios; pero no siempre.

Unas veces, dependen de cuestiones etimológicas, como ocurre con la palabra *huerto,* cuyo origen latino (de *hortus*) explica la presencia de la *h*. Lo mismo sucede con *huésped, historia* o *himno,* derivados respectivamente de *hospes, historia* e *hymnus.*

Otras veces, estas reglas provienen de la evolución que han experimentado los fonemas. Por ejemplo, la mayor parte de palabras que en la Edad Media comenzaban con *f* se escriben ahora con *h*: *higo*, que en el siglo XIII figuraba en los textos como *figo*; *hilo*, del latín *filum*, en el mismo siglo conservaba todavía la *f-* inicial; o *hincar*, que en el siglo X se escribía como *fincar.*

Igualmente, la fusión de los fonemas /b/ oclusivo y /v/ fricativo, cuya pronunciación se distinguía en la Edad Media, no dio lugar a una sola letra sino que siguieron utilizándose las dos grafías. Por ejemplo, la inicial de *barriga, bisagra* y *bueno* no se distingue, en su pronunciación, de la de *veneno, visita* y *vuelo,* aunque se mantiene la diferenciación ortográfica.

En otros casos, la ortografía responde a criterios más caprichosos: las palabras *barniz, basura* y *barrer* provienen respectivamente de los vocablos latinos *veronix, versura* y *verrere,* que se escriben con *v.*

Por tanto, la función de la ortografía debe ser la de enseñar a escribir correctamente por el empleo adecuado de las letras y de los signos que acompañan a la escritura. Nuestros propósitos van encaminados a conseguir esto de una forma básica, normativa y pedagógica. Para ello, se ha concebido el libro como una descripción extensa de todas las dificultades que atañen a la ortografía.

Somos conscientes de que el uso de este manual requiere una familiarización elemental con algunos términos gramaticales. A tal efecto, el lector puede acudir al glosario que figura al final del libro, donde hallará la definición de muchos de ellos. Recomendamos para la ampliación de los conocimientos que allí se tratan la consulta de la *Gramática de la Lengua Española*, del *Manual de dudas de la Lengua Española* y del *Manual de la conjugación del verbo* que integran la misma colección.

Con todo, el dominio de las reglas ortográficas debe completarse con un hábito de lectura atenta y comprensiva que ayude a fijarlas y a retenerlas.

Muchas veces, en efecto, escribimos correctamente una palabra que presenta dudas ortográficas, no por la mecánica aplicación de una regla ortográfica previamente aprendida, sino porque la costumbre de verla escrita nos la ha ido grabando en nuestra mente. Es lo que se denomina memoria visual, de fundamental importancia para, de forma casi inconsciente y sin apenas esfuerzo, alcanzar el dominio de la ortografía.

Esa retención de la «imagen» gráfica de una palabra, reiterada una y otra vez a través de la lectura, puede ser tan importante como el conocimiento de la propia regla ortográfica. Y a la inversa: una lectura atenta servirá asimismo para confirmar, ejemplificar y retener esas reglas que hemos aprendido.

La norma ortográfica

Cuando en el siglo XVIII se instituyó la **Real Academia Española de la Lengua,** su lema **«Limpia, fija y da esplendor»** ilustraba la clara intención de regularizar las normas ortográficas para una correcta escritura. Así se inició una gran reforma encaminada a acomodar la escritura a la pronunciación, que quedó plasmada con la publicación de la *Ortografía* (1741) que fijaba unas normas para la escritura correcta de las palabras e introducía algunas novedades con respecto a la supresión de varias grafías, a pesar de que siguieron manteniéndose las distinciones entre la *b* y la *v*, entre la *g* y la *j* para un mismo sonido, y el uso de la *h*, que actualmente no se pronuncia. A partir de entonces, se han mantenido unos criterios de ortografía que han permanecido −salvo pequeñas modificaciones− casi inalterables hasta nuestros días.

La **Ortografía** cumple, además, otra función: nos permite **estabilizar los usos de la lengua** ante las posibles variaciones dialectales e individuales de cada hablante. No se trata, como se piensa, de una imposición caprichosa, sino que tiene como función regularizar los usos de la lengua, preservando así su unidad. Pensemos que los hispanohablantes no hablan todos de la misma forma: unos cecean, otros sesean...

La lengua escrita aprendida en la escuela, utilizada en los libros, en la prensa y en los medios de comunicación, es un instrumento poderoso para mantener la unidad del idioma español, que está repartido por ambas orillas del Atlántico. Y puesto que esta unidad es conveniente para la comunidad de los pueblos hispanohablantes, porque quien no se atiene a las normas que establece el idioma escrito dificulta en gran manera la comunicación, conviene que ningún individuo la ponga en peligro, sino que la fortalezca con un estudio atento y profundo, una de cuyas bases, sin lugar a dudas, es la **ortografía**.

Pero lo cierto es que cada vez son más numerosos y frecuentes los errores ortográficos que cometen las personas de la más variada condición social. Los métodos empleados por algunos docentes, que insisten en la memorización de las reglas ortográficas, el poco interés de los alumnos, que restan importancia a las faltas de ortografía, el descrédito social de los convencionalismos ortográficos, la animosidad de la mayoría por la lectura y la frecuente dejadez de los medios de comunicación, podrían ser algunas de las razones que han generado esta situación de desprestigio en que se encuentra la **ortografía**.

Sin embargo, aunque nuestra **ortografía** pueda parecernos totalmente convencional y aunque estemos persuadidos de su arbitrariedad, existen poderosas razones para mantenerla tal como está y convertir su observación en un hábito.

En primer lugar, la dificultad de un acuerdo entre los muchos países que tienen el español como lengua oficial impediría una reforma uniforme.

Otros motivos que podríamos argumentar a favor del mantenimiento de la **ortografía** serían su relativa facilidad en aplicarla –un hispanohablante normal es capaz de dominarla perfectamente a los catorce años– y la ayuda que su conocimiento y observación pueden proporcionar en la adquisición de hábitos mentales de pulcritud y de exactitud, imprescindibles para cualquier actividad de nuestra vida.

Alfabeto español

Entendemos por alfabeto el sistema de signos gráficos usados en la escritura de una lengua. Estos signos gráficos son las letras.

La mayoría de los países del mundo occidental emplea el alfabeto latino que, procedente de los fenicios, fue introducido en Europa por los romanos. Este alfabeto es el que se utiliza, con algunas particularidades, para la escritura de la lengua española y ha quedado constituido por las siguientes letras:

A	B	C	D	E	F	G	H	I
a	b	c	d	e	f	g	h	i
a	be	ce	de	e	efe	ge	hache	i

J	K	L	M	N	Ñ	O	P	Q
j	k	l	m	n	ñ	o	p	q
jota	ka	ele	eme	ene	eñe	o	pe	cu

R	S	T	U	V	W	X	Y	Z
r	s	t	u	v	w	x	y	z
erre o ere	ese	te	u	uve	uve doble	equis	i griega o ye	zeta o zeda

Veamos ahora cuáles son las particularidades a las que nos referíamos anteriormente:

La *ch*, que hasta ahora era considerada una letra independiente, ha dejado de serlo, porque en el Congreso de Academias Hispanas celebrado en mayo de 1994, se ha decretado su desaparición del alfabeto y queda englobada dentro de la *c* como dos letras distintas, la *c* y la *h*, que siguen representando el mismo fonema. Lo mismo ha sucedido con la *ll*, que se considera la sucesión de *l* + *l*.

Como ya se ha dicho, el signo *h* no representa ningún sonido, aunque es frecuente que en el habla popular se aspire como se hacía antiguamente.

El español es la única lengua que utiliza la letra *ñ*, que procede de la aplicación de una tilde sobre la n, recurso que se utilizaba en la escritura medieval. Esta exclusividad en el uso de la *ñ* ha provocado recientemente una fuerte polémica. Debido a la dificultad que supone integrarla en los teclados internacionales de las máquinas de escribir y de los ordenadores, algunos lingüistas han llegado incluso a proponer su supresión. A pesar de ello no hay que dudar de su persistencia en el alfabeto castellano y a confirmarlo van dirigidas las últimas disposiciones oficiales tomadas recientemente.

La doble grafía *rr* representa un sonido distinto de su grafía simple *r* y se utiliza sólo entre vocales en su posición en el interior de palabra: *carroza, arroz, erróneo, arrecife*. En posición inicial de palabra o después de consonante debe usarse su forma simple *r: rosario, radio, enraizar, alrededor*.

La *w* sólo se usa para la transcripción de voces extranjeras: *wagneriano, waterpolo, water*. En las palabras plenamente incorporadas al español se ha sustituido por la forma *v: vagón, vatio*.

Aspectos de las normas ortográficas del idioma español

Las normas que rigen la **ortografía española**, teniendo en cuenta el sistema de nuestra lengua y a pesar de los desajustes comentados, son fáciles de seguir y se refieren especialmente a:

Uso correcto de las letras.

Acentuación de las palabras.

Empleo de los signos de puntuación.

A pesar de que somos conscientes de la necesidad de unos conocimientos de etimología y de gramática en general –que superan los propósitos de este manual– esenciales para un dominio adecuado del idioma, expondremos de una manera clara y sistemática las normas básicas para una correcta ortografía. Nuestro objetivo es el de ponerlas al alcance de aquellos interesados en el buen uso del idioma, cualquiera que sea su nivel.

Mayúsculas y minúsculas

Las convenciones o normas referentes al uso de las letras mayúsculas no forman parte, al menos en apariencia, de las prescripciones lingüísticas indispensables. Pero es evidente que un sistema de escritura bien establecido y coherente necesita de unas reglas sobre esta cuestión.

Popularmente se tiende a creer que una palabra escrita con letra mayúscula tiene más prestigio que si se escribe con letra minúscula. Este es un criterio subjetivo y erróneo que conviene aclarar.

Como principio general, las palabras pueden escribirse con mayúsculas atendiendo a dos criterios: por su situación en el texto y por su naturaleza. En el primer caso se puede decir que su función es *demarcativa* (a principio de frase, después de un punto, etc.) y la aplicación de las reglas sobre su uso no presenta ninguna dificultad. En el segundo caso, su función es *distintiva* (distinguen nombres propios o de instituciones, cargos, títulos, tratamientos, etc.), y es aquí donde surgen las dudas y los problemas.

Efectivamente, a pesar de su aparente sencillez, el uso –y la normativa– de las mayúsculas es, a veces, de gran complejidad. La causa principal reside, tal vez, en que, al revés de lo que ocurre con otras reglas, los criterios que rigen al respecto –especialmente en la función distintiva– pueden verse afectados por un fuerte componente de subjetividad del que escribe, que recurre a las mayúsculas para destacar aquello que estima de mayor interés:

«Del altar que le alcé en el alma sucia
la Voluntad su imagen arrojó.»
Gustavo Adolfo Bécquer

En este ejemplo vemos que el poeta decide dar un valor subjetivo y una categoría simbólica al sustantivo *voluntad* destacándolo con una inicial en mayúscula. En este caso, el autor prescinde de los criterios de la normativa ortográfica y da a la palabra categoría de nombre propio.

María Moliner, en su ejemplar *Diccionario de uso del español*, es significativamente explícita sobre este tema: «La cuestión del uso de la letra mayúscula en la inicial de ciertas palabras es la más caótica de la ortografía...»

Este desconcierto que reflejan las normas es debido, naturalmente, a que el uso de la mayúscula tiene más valor reverencial que gramatical, puede decirse que es un signo psicológico. Podría despojarse a las letras mayúsculas de todo valor ortográfico y dejarlas convertidas en otro tipo de letra más y, como tal, restringir su uso al principio de los escritos y detrás de punto y, gramaticalmente, no pasaría nada.

Así pues, el uso de las mayúsculas no responde siempre a reglas establecidas. En ocasiones, se halla sometido a las modas y a una cierta evolución, a convenciones y costumbres propias de instituciones o profesiones, e incluso al gusto personal.

A pesar de esta inseguridad, resulta conveniente y necesario el conocimiento y la aplicación de las normas que exponemos a continuación.

Uso de las mayúsculas

1. **En la inicial de la primera palabra de un texto:**

   «Y con este acuerdo se volvieron a casa de Anselmo, donde hallaron a Camila con ansia y cuidado, esperando a su esposo, porque aquel día tardaba en venir más de lo acostumbrado.»
   Miguel de Cervantes, *Don Quijote de la Mancha.*

2. **En la primera palabra después de punto, ya sea seguido o aparte:**

   «...y asimesmo le daría dineros y joyas que darla y que ofrecerla. Aconsejóle que le diese músicas que escribiese versos en su alabanza, y que, cuando él no quisiese tomar trabajos de hacerlos, él mesmo los haría. A todo se ofreció Lotario, bien con diferente intención que Anselmo pensaba.»
   Miguel de Cervantes, *Don Quijote de la Mancha.*

3. **En la primera palabra después de los signos de admiración o interrogación, excepto cuando se interpone una coma:**

   ¿Cómo llegaste aquí? Fue gracias a la guía.
   ¡Deténgase! No puede viajar sin documentación.
   ¿Se habrá casado? Hace mucho tiempo que no la veo.

4. **En la primera palabra después de los dos puntos, siempre que se trate de fórmulas de cortesía propias del género epistolar:**

   «Soberana y alta señora:
   El ferido de punta de ausencia y el llagado de las telas del corazón, dulcísima Dulcinea del Toboso...»
   Miguel de Cervantes, *Don Quijote de la Mancha.*

   No utilizamos las mayúsculas cuando los dos puntos van seguidos de una enumeración:

   Las estaciones del año son: primavera, verano, otoño, invierno.

5. **Se escribe mayúscula inicial si después de los dos puntos se reproducen las palabras de alguien o una cita textual:**

Y a continuación pronunció la célebre frase: «Ser o no ser...»
Como dijo el poeta: «Vuestras vidas son los ríos...»

6. **También se escriben con mayúscula las palabras que siguen a las fórmulas** *certifico, expone,* **y otras parecidas**:

«Expone:
Que habiendo realizado...»

7. **En los nombres propios y apellidos:**

Juan Ruiz	*Miguel de Cervantes*	*María de Francia*
Pío Baroja	*Inés de la Cruz*	*Miguel Hernández*

8. **En los apodos personales, los títulos de dignidad y los atributos divinos:**

Alfonso X, el Sabio	*Cupido*	*Duque de Osuna*
Manco de Lepanto	*Redentor*	*Sumo Pontífice*

9. **En los topónimos. Si se trata de nombres geográficos acompañados de artículo o adjetivo, éstos se escribirán con mayúsculas, aunque en algunos casos puedan aparecer en minúscula** (*ver pág.* 23).

Barcelona	*El Salvador*	*Oriente Próximo*
Berlín	*La Habana*	*Océano Atlántico*
Valle de México	*República Dominicana*	*Pampa Argentina*

10. **En los tratamientos que se presentan en su forma abreviada:**

Excmo.: Excelentísimo	*Ilmo.: Ilustrísimo*	*Sr.: Señor*
Mons.: Monseñor	*Rdo.: Reverendo*	*Mtro.: Maestro*
Dra.: Doctora	*Ud.: Usted*	*Ldo.: Licenciado*

11. **En algunos nombres colectivos que representan determinadas corporaciones, agrupaciones, partidos políticos, instituciones, etc.:**

Cortes Españolas *Teatro del Liceo*
Museo del Prado *Tribunal Constitucional*
Real Academia de Buenas Letras *Universidad Complutense*

12. **En los sustantivos y adjetivos que componen el nombre de una institución:**

Colegio Naval *Instituto Nacional de la Industria*
Fundación Juan March *Oficina de Turismo*

13. **En los sustantivos y adjetivos que titulan una obra de arte:**

Las Meninas *Tratado de Caza*
Libro de las Delicias *La Rendición de Breda*

Esta norma no se observa siempre, especialmente en los títulos de cierta extensión:

El libro del ajedrez, las tablas y dados.
Libro de cómo al hombre es necesario amar.

Modernamente en los títulos de libros, cuadros, obras musicales, películas, etc., se escribe con mayúscula sólo la inicial de la primera palabra:

Guerra y paz *La flauta mágica*
Cumbres borrascosas *Mujer con abanico*
La viuda alegre *Confieso que he vivido*

14. **En las palabras que significan poder público, cargo importante o dignidad en documentos oficiales:**

Alcalde *Corona* *Estado* *Regente*
Autoridad *Diputado* *Monarquía* *República*

15. **En ciertas palabras, cuando se emplean en un sentido absoluto:**

La Monarquía   *la Burguesía*   *la Nobleza*   *el Clero*

16. **Opcionalmente, en los nombres de los puntos cardinales:**

Norte norte   *Sur sur*   *Este este*   *Oeste oeste*

17. **En el número romano de papas, reyes y siglos:**

Fernando VI   *Juan Pablo II*   *siglo XIV*   *Juan Carlos I*

18. **En épocas, períodos históricos y hechos famosos:**

La Edad Media   *La Revolución Francesa*
El Descubrimiento de América   *La Toma de la Bastilla*
La Jura de Santa Gadea   *El Renacimiento*

19. **En los nombres de revistas o periódicos:**

La Gaceta del Norte   *Revista de Occidente*
El Mercurio   *La Nación*
Hola   *Blanco y Negro*

Uso de las minúsculas

1. **La primera letra de todas las palabras de una noticia periodística** (exceptuando la que inicia un texto):

Amenazas de lluvia para el fin de semana.
Llegan los embajadores de Egipto.
Aumentan los accidentes en carretera.

2. **Los días de la semana, meses, estaciones y notas musicales:**

lunes	*enero*	*primavera*	*do*
miércoles	*marzo*	*invierno*	*mi*

3. **Los tratamientos sin abreviar:**

señor	*usía*	*usted*	*monseñor*
doctor	*don*	*viuda*	*señorita*

4. **Las palabras que indican jerarquía cuando no se alude especialmente a la persona que la sustenta:**

En la Corte, marqueses y condes nunca llegaron a entenderse.
En la Edad Media, los pontífices ejercían gran poder político.
A la reunión acudieron todos los ministros.

5. **Los listados de términos de libros especializados, tales como diccionarios, etc.**

6. **Los nombres de las monedas:**

peseta	*escudo*	*dólar*	*peso*
colón	*córdoba*	*lempira*	*bolívar*
balboa	*sucre*	*guaraní*	*quetzal*

7. **Los nombres de los sistemas de gobierno si no se refieren particularmente a uno de época concreta:**

monarquía	dictadura	república	democracia
teocracia	triunvirato	regencia	tecnocracia
tiranía	autocracia	oligarquía	plutocracia

8. **Los nombres de ciencias, disciplinas, técnicas de estudio, etc.:**

astronomía	derecho penal	matemáticas	física
química	topografía	psicología	agricultura
medicina	arquitectura	aeronáutica	diseño

9. **Los nombres de las religiones y de sus miembros:**

budismo	anglicanismo	catolicismo	hinduismo
protestante	mahometano	calvinista	mormón
confucionismo	judaísmo	adventismo	cuaquerismo

10. **Los gentilicios:**

anglosajón	chileno	italiano	panameño
argentino	español	marroquí	peruano
cubano	inglés	noruego	sudamericano

11. **Los nombres de oraciones y rezos:**

el avemaría	el padrenuestro	un credo	el rosario
una letanía	una salve	una novena	un responso
un vía crucis	el ángelus	la antífona	una jaculatoria

12. **Los nombres de oficios y profesiones:**

escritora	albañil	delineante	agricultor
portero	profesora	mecánico	médico
geólogo	químico	apicultor	minero
ebanista	matemático	pastor	terapeuta

13. **Los nombres genéricos en mitología:**

las musas   *los faunos*   *las ninfas*   *los penates*
los centauros   *las arpías*   *las sibilas*   *las sílfides*

14. **Los nombres de movimientos artísticos o de otra índole:**

vanguardismo   *impresionismo*   *cubismo*   *expresionismo*
modernismo   *racionalismo*   *empirismo*   *surrealismo*

15. **Algunos adjetivos usados en nombres geográficos:**

América andina   *Pirineos orientales* *Atlántico norte*   *Nilo azul*
Africa ecuatorial *Europa polar*   *Pacífico sur*   *África meridional*

Sin embargo, en algunos casos se escriben con mayúsculas:

América Central   *Alemania Oriental* *Unión Sudafricana* *Costa Dorada*
Meseta Central   *Río Grande*   *Sierra Leona*   *Costa Azul*

16. **Los nombres de fiestas o períodos festivos:**

el carnaval   *la vendimia*   *la cuaresma*   *el veraneo*
la verbena   *la romería*   *la cascabelada*   *la mojiganga*

Aunque en algunos casos se hacen excepciones:

Semana Santa   *Corpus*   *Navidades*   *Fiesta Mayor*
El Rocío   *Epifanía*   *Pascua*   *Semana Grande*

Otras veces se escriben indistintamente con mayúscula o con minúscula:

Miércoles de Ceniza o miércoles de ceniza.
Jueves Lardero o jueves lardero.

17. **Después de punto y coma:**

Estoy muy cansado; sin embargo, iré contigo.
Me dieron el primer premio; a pesar de ello, no llegaron a publicarme la
obra.

Nota:

En la utilización de las mayúsculas no debemos olvidar las normas de
acentuación. (*ver pág.* 70).

Los signos de puntuación

Toda lectura supone una interpretación del texto. Puntuar significa marcar unas pautas en esa interpretación. En la lengua hablada, el hablante se vale de las pausas y de la entonación para ordenar sus pensamientos. En la lengua escrita, esas pausas y esa entonación se marcan con los signos de puntuación, que cumplen la función de señalar la estructura de las oraciones que forman un texto escrito.

En el discurso oral y en la conversación, hay pausas y alteraciones de ritmo o inflexiones de la voz que las letras no pueden expresar. Y si bien es cierto que la lengua escrita nunca podrá reproducir la riqueza de matices de la lengua oral, puede, al menos, intentar reflejarla mediante los signos de puntuación. Por tanto, usaremos esos signos en la escritura porque proporcionan claridad, delimitan las ideas y permiten mostrar la actitud del hablante.

Unos mismos elementos pueden variar su significado según la puntuación que les demos:

Por allí se acerca un hombre bueno.
Por allí se acerca un hombre. Bueno.

Según se ha puntuado el último ejemplo, podemos pensar que se trata de un diálogo entre dos personas en el que la segunda acepta la aseveración de la primera.

Los signos de puntuación que se usan en la escritura permiten la adecuada entonación de cualquier frase. Pero el empleo de tales signos supo-

25

ne también una correcta asimilación de la sintaxis de una lengua. De hecho, ambos elementos deben integrarse en una correcta puntuación, que será la que determine en gran medida que un texto diga lo que hemos querido expresar en él.

Es verdad que el acierto en el uso de estos signos tiene también un importante ingrediente subjetivo, vinculado, en última instancia, a la intención del autor. A continuación pueden leerse como ejemplos las siguientes frases:

Tu padre lee el periódico.	(afirmativa)
Tú, padre, lee el periódico.	(exhortativa)
¡Tu padre! ¡Lee el periódico!	(exclamativa)
¡Tu padre lee el periódico!	(exclamativa)
¿Tu padre lee el periódico?	(interrogativa)

Como hemos podido comprobar, la ausencia de un punto o el cambio de lugar de una simple coma pueden alterar profundamente el significado de un texto. Sin embargo, sí podemos afirmar que hay puntuaciones posibles y puntuaciones imposibles, tales como las que a continuación se indican y que leeríamos como incorrectas:

* *Tú. Padre lee el periódico.*
* *Tu padre lee el. Periódico.*

Incluso en el lenguaje poético puede existir una puntuación subyacente, aunque no se manifieste ortográficamente en el texto:

> *el cine de los sábados*
> *maravillas del cine galerías*
> *de luz parpadeante entre silbidos*
> *niños con sus mamás que iban abajo*
> *entre panteras un indio se esfuerza*
> *por alcanzar los frutos más dorados*
> *ivonne de carlo baila en scherazade*
> *no sé si danza musulmana o tango*
> *amor de mis quince años marilyn*
> *ríos de la memoria tan amargos*
> *luego la cena desabrida y fría*
> *y los ojos ardiendo como faros.*
>
> Antonio Martínez Sarrión, *Teatro de operaciones.*

Memorándum

Uno llega a incorporarse al día
dos respirar para subir la cuesta
tres no jugarse en una sola apuesta
cuatro escapar de la melancolía

cinco aprender la nueva geografía
seis no quedarse nunca sin la siesta
siete el futuro no será una fiesta
y ocho no amilanarse todavía

nueve vaya a saber quién es el fuerte
diez no dejar que la paciencia ceda
once cuidarse de la buena suerte

doce guardar la última moneda
trece no tutearse con la muerte
catorce disfrutar mientras se pueda

Mario Benedetti, *Preguntas al azar.*

Arde el mar

Oh ser un capitán de quince años
viejo lobo marino las velas desplegadas
las sirenas de los puertos y el hollín y el silencio en las barcazas
las pipas humeantes de los armadores pintados al óleo
las huelgas de los cargadores las grúas paradas ante el cielo de zinc
los tiroteos nocturnos en la dársena fogonazos un cuerpo en las aguas
    con sordo estampido
el humo en los cafetines
Dick Tracy los cristales empañados la música zíngara
los relatos de pulpos serpientes y ballenas
de oro enterrado y de filibusteros
un mascarón de proa el viejo dios Neptuno
una dama en las Antillas ríe y agita el abanico de nácar bajo los
cocoteros.

P. Gimferrer, *Arde el mar.*

27

Como hemos podido comprobar, en estos poemas se ha prescindido intencionadamente de cualquier signo de puntuación que pueda orientarnos en su interpretación. Ello exige una participación intuitiva del lector que le permita descubrir los signos implícitos en esos textos para darles el sentido pretendido por el poeta.

En estos casos, la ausencia de puntuación cumple una función poética; pero resulta evidente que es una dificultad añadida al texto.

Establecida, pues, la premisa de que la puntuación es algo revisable y orientativo, daremos algunas pautas básicas para su utilización correcta.

El punto

El punto (.) **es el signo que indica una pausa amplia en el discurso.** Lo reconocemos porque se refleja en un descenso importante de la entonación. Su función es la de separar entre sí oraciones que no están ligadas sintácticamente a otras y que poseen un sentido completo. Aparece siempre al final de la frase:

Te dije que contábamos con la presencia de una «celebridad».
Todos los domingos damos un paseo por el parque.

Sin embargo, el punto precede a otros signos (paréntesis, comillas) cuando éstos empiezan y cierran un período:

Citó de memoria: «Llegué, vi, vencí.»
Con el discurso se clausuró el acto. (Y ninguno de los asistentes se levantó de su butaca.)

Como se observa, el punto se coloca antes de cerrar las comillas.
Si estos signos se han abierto a mitad de la oración, el período se concluye con el punto.

Tendríamos que recoger los «Cuentos de Canterbury».
Estuvimos en la Península Valdés (Argentina).

Usos

1. Punto y seguido

El punto y seguido enlaza oraciones independientes que se refieren a un mismo asunto. Por ello, todas las frases que llevan punto y seguido se agrupan dentro del mismo párrafo. Veamos algún ejemplo:

«La barraca está ya construida. Nos faltan ahora el menaje, los muebles. Un huertano y una huertana van a instalarse en el recinto».
    Azorín, *El paisaje de España visto por los españoles.*

Asistimos a la cena de aniversario en un restaurante de lujo. Todos los invitados fuimos obsequiados con un pequeño regalo.

2. Punto y aparte

El punto y aparte separa un párrafo de otro, cuando éstos indican asuntos distintos. También lo usamos cuando los párrafos destacan diversos aspectos de una misma cuestión; es decir, mantienen entre sí una relación lejana. Normalmente, los párrafos empiezan en la línea siguiente con sangrado:

La lírica es el género literario que describe los sentimientos del yo poético; suele expresarse en primera persona y, por lo general, está escrita en verso.
La épica es el género que narra historias de personajes ficticios ocurridas en un tiempo pasado y suele estar escrita en tercera persona.
La dramática presenta a los personajes actuando directamente ante el público a través del diálogo.

3. Punto final

El punto final da término a un escrito;

«*Había creído sentir sobre la boca el vientre viscoso y frío de un sapo. Fin.*»

Clarín, *La Regenta.*

Resumen Punto	
Funciones	**Usos**
cierra unidades de sentido completo	**punto seguido:** entre oraciones **punto y aparte:** entre párrafos **punto final:** entre textos

La coma

La coma (,) indica una pausa en la lectura, aunque no tan amplia como en el caso del punto. Es uno de los signos de puntuación más complejos, ya que sus funciones son variadas. Muchas veces, su uso implica un criterio subjetivo en la interpretación del discurso.

Usos

1. **Desplazamiento de elementos en la oración y fuera de ella.**

El orden de la frase en español sigue el modelo Sujeto-Verbo-Objeto. Cualquier alteración de este orden establece valores distintos en el sentido de la oración. La coma ilumina esos nuevos matices y su empleo está especialmente justificado cuando la transposición es extensa:

En el patio interior de los pisos, una luz tenue bañaba los apartados rincones.
En el silencio del puerto abandonado, la mujer del marinero se quedaba mirando el mar.
Como en las tardes frescas del otoño gris, la melancolía se paseaba lenta por su alma.

En las situaciones en que la proposición precede a la oración principal, usaremos la coma al final de la primera:

«Cuando los ojos se acostumbraban a la penumbra reinante, se veían en las paredes del corredor cestos de repartir».

   Pío Baroja, *La Busca.*

Antes de que te vean, aléjate de la estación.
Para que no lo olvides, te he anotado las cosas que necesito.
Aunque estés lejos, no dejes de escribirnos.

Las subordinadas condicionales también se separan por coma cuando se adelantan a la principal:

Si llegaras a conocerlo, no pensarías que es vago.
Como no se case pronto, su novia lo dejará.
Si tienes la oportunidad, no dejes de visitarme.

Y, en general, cualquier anticipación extensa exige el uso de este signo:

Aunque se lo pidas, no te lo dará.
Para que tú me oigas, repito a veces mis palabras.
Por si te vas de viaje, te dejaré mis diccionarios de inglés.
Si quieres que te acompañe, llámame a las tres.

2. Separación del sujeto y el verbo

Es posible separar con una pausa el sujeto del verbo sólo cuando el primero resulta demasiado extenso o está formado por una enumeración:

Los numerosos cuadros renacentistas que se presentaron en la exposición y que se excluían de la subasta, no dejaron de impresionar al público asistente.
Las películas del otoño, las nuevas colecciones de ropa, los primeros resfriados, las reparaciones de electrodomésticos y los primeros disgustos, son las señales evidentes de que se han terminado las vacaciones.

Considerar o no la extensión del sujeto de una frase es algo subjetivo y arriesgado; así es que, siempre que se pueda, deberíamos evitar el uso de la coma entre sujeto y verbo.

3. Elipsis

Se indica con la coma el lugar en que se produce la elipsis del verbo. Evitamos, de esta forma, una repetición innecesaria:

María se tomó un café con leche en el primer entreacto; Manuel, en el segundo.
A mí me gustan los libros de texto; a él, las enciclopedias.
Nosotros deberíamos adquirir la enciclopedia de biología; tu hermano, la de música.
Julio ha leído tres libros durante las vacaciones; yo, sólo dos.
Ana vio una película de miedo y su hermana Inés, una de risa.

4. Los incisos

Las aclaraciones o comentarios que se intercalan en la oración van aislados entre comas. Se localizan fácilmente porque presentan una entonación distinta a la del resto de la frase:

Los chicos, que han preparado una fiesta, quieren verte.
En el armario encontrarás, si te fijas bien, unas tijeras.

La naturaleza sintáctica de tales elementos es variada, a saber: vocativos, oraciones de relativo explicativas, expresiones adverbiales y conjunciones *(finalmente, por último, sin embargo, pues, en efecto, sin duda, etc.).*

Vocativos:	*¿Qué será, querido amigo, de todos nosotros?*
Oraciones de relativo:	*Los albañiles, que habían tomado café, preparaban un andamio.*
Expresiones adverbiales:	*Los presupuestos, evidentemente, acabarán disparándose.*
Conjunciones:	*Los comentarios de los directivos, pues, eran fundamentales.*

Todos estos elementos son suprimibles para el sentido esencial de la oración:

Manuel, hijo, deberías asistir a la función.
Manuel, con ese calor, no quería asistir a la función.
Manuel, dijo el director, asiste a la función.
Manuel, el hijo del director, no asistió a la función.
Manuel, que nunca se interesó por el teatro, no asistió a la función.
Manuel, en fin, asistió a la función.

También usamos la coma en las acotaciones en gerundio o de participio absoluto:

Manuel, intentando agradar, hacía un gran esfuerzo.
Manuel, resueltos los problemas, volvió a intentarlo.
El director, revelando su disgusto, se marchó rápidamente.
Manuel, vista la función, acabó ilusionándose con el drama.

5. Enumeraciones

Usamos la coma en una sucesión consecutiva de elementos de idéntica función sintáctica que no van unidos por ninguna conjunción. Puede tratarse de sintagmas o de oraciones:

Cantaron boleros, tangos, rancheras y villancicos.
Salieron de madrugada, comieron en la playa y regresaron pronto.
Tenían miedo, angustia y pavor ante tanta desgracia.
Simulaban todas sus mentiras con sus risas, con sus miradas y con sus gestos encubiertos, .

Como puede observarse, los dos últimos elementos de la enumeración van unidos por conjunciones. Sin embargo, la presencia de la *y* o de la *o* no excluye la aparición de la coma cuando los elementos coordinados son extensos:

Habíamos encargado el pan para la excursión del último día de vacaciones, y lo recogimos esa misma mañana a pesar de las limitaciones de tiempo.
Hemos previsto que los más jóvenes ayuden en la organización de la fiesta, o los resultados serán desastrosos.
Íbamos caminando por un sendero tortuoso y lleno de peligros, y el guía decidió cambiar el rumbo de la expedición.

Resumen Coma	
Funciones	**Usos**
marca una pausa menor que el punto	desplazamiento elementos de una frase elipsis del verbo incisos enumeraciones sin conjunción

El punto y coma

El punto y coma (;) marca una pausa intermedia entre la coma y el **punto.** Su uso no supone que el sentido de la oración se haya completado, sino que se entiende como un descanso en el discurso. Al contrario que el punto, no exige la utilización de mayúsculas a continuación.

Usos

1. **Conjunciones adversativas**

Se emplea el punto y coma delante de conjunciones adversativas *(mas, pero, sin embargo, aunque)* **si el período anterior es extenso:**

Busqué el número de María en las guías telefónicas de todas las ciudades de Italia; sin embargo, mi búsqueda resultó inútil y no pude localizarla.

La tienda tenía todo tipo de artilugios para la instalación de baños, para la reparación de goteras, para la preparación de viviendas; no obstante, parecía todo muy desordenado.

2. **Relación entre oraciones**

2.1. **Por extensión**

Separa oraciones que deberían usar comas si su extensión fuera breve:

«Las gitanas de trajes abigarrados peinaban al sol a las gitanillas morenuchas y a los churumbeles de pelo negro y ojos grandes; una porción de vagos discurría gravemente».

Pio Baroja, *La Busca.*

Nunca había salido de aquella casa perdida entre montañas; nunca se preparó para realizar grandes viajes; nunca supo cómo enfrentarse a la sociedad; nunca llegó a entender la preocupación de sus familiares por él; sin embargo, había aprendido a curtirse en el silencio y decidió renunciar a todo contacto con el mundo exterior.

2.2. Por relación indirecta

Divide oraciones coordinadas cuando la segunda no presenta una relación directa con la primera:

«*En aquellas horas tempranas no se oía en el edificio el menor ruido; el portero había abierto el portal y contemplaba la calle con cierta melancolía*».

Pio Baroja, *La Busca*.

3. Aparición de comas

Usamos el punto y coma en la división de cláusulas donde ya aparecen comas:

El banquete constaba de varios platos: el primero se presentaba acompañado con tostadas, ensalada y vino blanco; el segundo, con rebanadas de pan alemán y vino tinto; y el tercero, con licores dulces de Málaga.

Obsérvese cómo el uso de este signo no excluye la presencia de la conjunción.

Resumen	
Punto y coma	
Función	**Usos**
separar períodos	delante de nexos adversativos en coordinadas de relación vaga en oraciones extensas

Los dos puntos

Los dos puntos (:) van precedidos de un descenso en el tono de la frase. Se diferencian del punto en que su presencia no indica que se haya cerrado una unidad con sentido completo. Su función, además, se aleja del punto y coma por separar elementos de distinta categoría sintáctica. En general, los dos puntos anteceden a una aclaración, consecuencia o extensión de lo ya mencionado.

Como norma, y al contrario de otros signos, deberíamos evitar el uso repetido de los dos puntos cuando se hallen en situación de contigüidad. Si así sucediera, intercalaremos alguna otra pausa entre las dos apariciones.

Usos

1. **Ante enumeraciones:**

Los dos puntos se anteponen a una enumeración de elementos previamente anunciada:

Existen dos clases de hombres: los que toman café y los que toman té.
Deberíais recordar los nombres de algunos ríos: Duero, Tajo, Miño.
Cervantes escribió, además de El ingenioso hidalgo Don Quijote de la Mancha, otras obras: Novelas Ejemplares, La Galatea, etc.

La primera letra después de los dos puntos, cuando les sigue una enumeración, se escribe con letra minúscula.

A veces la enumeración antecede al signo gráfico y la conclusión aparece después:

Habían empaquetado libros, utensilios, ropa, fotografías: todo lo necesario para marchar.
Se encontraban alegres, dispuestos, preparados: la ascensión sería un éxito.
La habitación estaba sucia, llena de trastos, desordenada: era un lugar caótico.
En la casa había toda clase de elementos decorativos adquiridos a lo largo de su vida en común: candelabros, cuadros, porcelanas, relojes y varias colecciones de miniaturas.

2. Ante ejemplos, aclaraciones, conclusiones:

Los dos puntos preceden a la causa o conclusión de lo que se ha dicho previamente. A veces, se trata de una afirmación general que se matiza después:

Tendrías que colocar dos sofás en esta habitación: uno frente a la chimenea y otro de espaldas al balcón.
Creo que ya no podemos hacer nada más: vendamos la casa y regresemos a la ciudad.

En otras ocasiones se presenta la consecuencia:

Nunca estudiamos el caso con detalle: habríamos llegado, sin duda alguna, demasiado lejos.
El edificio ardía muy deprisa: tuvimos que desalojarlo.
Juan y Enrique salieron de su estudio con los planos de su proyecto sin darse cuenta del chaparrón que caía: todos los papeles quedaron inservibles.
Ya estamos hartos de comprar géneros a precios tan elevados: a partir de ahora sólo adquiriremos productos en almacenes al por mayor.
Revisa las carpetas con la información que te di: a partir de ahora empezaremos a actuar.

No empleamos mayúscula detrás de los dos puntos que preceden a aclaraciones, ejemplos o conclusiones.

3. Ante palabras o citas textuales:

En algunas ocasiones, nos vemos obligados **a referir las palabras exactas de alguien que se halla ausente. Incluimos en nuestro discurso una opinión, una frase tomada de una conversación anterior o de un texto escrito. Usamos, en esos casos, los dos puntos:**

El funcionario dijo: «Vuelva usted mañana.»
Recuerda aquella frase: «Llegué, vi, vencí.»
¿Cómo seguía la canción?: «Reloj detén tu camino...»
Aquel poema empezaba así: «Llora, llora...»
Al final le respondió: «¡Basta ya!»

4. **Detrás de fórmulas de cortesía:**

Empleamos los dos puntos detrás de vocativos que encabezan cartas o discursos:

Mi querido Sancho: Ya debes saber...
Señoras y señores: Empieza la función.
Excelentísimo Sr.: El abajo firmante...

Los dos puntos se usan detrás de ciertas fórmulas propias de los documentos oficiales en expresiones como: «Hago saber, Certifico, Comunica, Expone, Suplica, Decreto, etc.»

Juan Ruíz, Arcipreste de Hita, natural de Hita y nacido bajo el signo de Venus
Expone:
Que su obra, el Libro de Buen Amor, está escrita con la intención didáctica de enseñar los distintos usos en el arte de metrificar y las opciones que puede tomar el hombre en su amor hacia Dios. Por lo cual,
Suplica:
Que su libro sea bien entendido, por los cuerdos y los locos; y que, cada cual, según le vaya, tome de él lo que más le convenga y añada o quite lo que mejor le parezca.

Empleamos mayúsculas después de palabras formularias y en citas textuales.

5. **Detrás de «a saber», «por ejemplo»:** Los dos puntos siguen a estas expresiones:

El empleo de los dos puntos se centra en unas pocas normas, a saber: enumeraciones, aclaraciones, fórmulas de cortesía y citas textuales.
Tenemos todo tipo de pantalones, por ejemplo: los hay a cuadros y los hay lisos, de tela tejana y de pana.
Tráeme dos o tres clases de frutas, por ejemplo: plátanos, manzanas y peras.
Hay algunos problemas en el seno del partido, a saber: discrepancias, rencillas, envidias y dimisiones.

Resumen

Los dos puntos

Función	Usos
aclarar	enumeraciones
ejemplificar	citas textuales
resumir	fórmulas de cortesía
	conclusiones

Los puntos suspensivos

Son tres puntos (...) –y nunca más de tres– que se usan para indicar que una expresión queda inconclusa.

Usos

1. **En oraciones incompletas:**

Con los puntos suspensivos dejamos la frase incompleta dándole diversos valores:

1.1. **Vaguedad:**

Verá... Es que... Bueno...
Si pudiera ofrecerme algo...
Me gustaría...

1.2. **Sorpresa:**

Abrimos la puerta y...
A ver si aciertas...
Uno, dos, tres... ¡Aquí tienes!

1.3. **Temor o duda:**

Me dijo que... bueno, te lo contaré en otra ocasión.
Podría dártelo, pero...
Siento que si lo hubiera pensado antes... no sé.

2. **En enumeraciones:**

Si se desconocen todos los elementos de una enumeración, o bien se obvian por ser demasiados, usamos los puntos suspensivos:

Tenía trajes, chaquetas, pantalones, abrigos...
Elija usted mismo: pañuelos blancos, rojos, verdes...
Puedo ofrecerte poemas de Machado, Darío, Cernuda, Neruda...

3. **En citas textuales:**

Se utiliza para suprimir algún fragmento de una cita literal:

«En un lugar de La Mancha, de cuyo nombre no quiero acordarme...»

Si es un fragmento intermedio, los puntos suspensivos deben ir entre paréntesis:

«¡Qué descansada vida
(...)
los pocos sabios que en el mundo han sido!»

Para evitar el uso excesivo de los puntos suspensivos podemos utilizar la palabra etcétera en su forma abreviada:

Vayan sacando los cubos, las escobas, los detergentes, etc.
Vendemos muebles antiguos, objetos artísticos, monedas, etc.
Allí se exponían postales, sellos, grabados, insignias, etc.

Resumen	
Puntos suspensivos	
Funciones	**Usos**
vaguedad sorpresa temor duda	frases incompletas enumeraciones inconclusas citas con elisiones

Signos de interrogación y admiración

Cada una de las frases que emitimos tiene su propia melodía o entonación. Esa melodía es la que nos permite añadir matices expresivos a aquello que queremos comunicar.

Los cambios de entonación permiten clasificar las oraciones en **enunciativas, interrogativas** y **exclamativas.** Las frases **enunciativas** pretenden **informar**: su tono es normal y no presentan signos gráficos adicionales. Las oraciones **interrogativas** indican una **petición** de información del hablante al oyente. En ellas se solicita algo que se desconoce, por lo que su entonación es distinta a la del primer tipo de oraciones.

La entonación **interrogativa** se representa en la escritura con un signo doble [¿?] al inicio y al final de la frase, y no sólo al final, como sucede en algunas lenguas. Aunque no resulta tan frecuente, a veces la interrogación no abarca toda una oración, por lo que el signo gráfico se retarda hasta que aparece la pregunta en cuestión. Así sucede en los siguientes ejemplo: *A la vista de los hechos, ¿cómo salvaremos su prestigio?; Pero, ¿cómo te las arreglas para hacerlo tan mal?; Con nuestros años, ¿cómo vamos a realizar un viaje tan largo?*

No siempre aparecen los signos en la escritura cuando nos hallamos ante una oración interrogativa. Sucede ello cuando aparecen mecanismos indirectos de petición de información. Es el caso de las llamada **oraciones interrogativas indirectas:** *No sé cuándo llegará; Me pregunto si lleva paraguas; Le dije si quería fumar.*

El hablante, en otras ocasiones, tiene necesidad de expresar un **deseo** o un **mandato**. La entonación refleja esas necesidades a través de las **oraciones exclamativas** que presentan también, en la escritura, unos signos dobles ¡!. Esos signos denotan una emoción, un énfasis más importante en la elocución de la frase: *¡Cómo te atreves!, ¡Vete ya!, ¡Si pudiera acompañarte!, ¡Ojalá!*

De todas formas, y a pesar de la capacidad expresiva de la variación tonal, no es aconsejable abusar de estos signos en la escritura, pues empobrecen la calidad del texto. La moderación permite una mayor fluidez sintáctica y significa un dominio mayor de las reglas del lenguaje no usadas al azar en actos comunicativos excesivamente expresivos.

Las líneas de entonación son ascendentes cuando la pregunta exige un *sí* o un *no* por respuesta: *¿Sabrás ponerte este sombrero?, ¿Tienes monedas sueltas?* En estos casos se puede decir que la voz aumenta de tono desde la primera sílaba acentuada; luego inicia un descenso que se prolonga hasta la penúltima sílaba y, al final, en la última sílaba, vuelve a elevarse.

En los demás casos, es decir, cuando no se espera como respuesta un *sí* o un *no*, se produce en la entonación un descenso final por debajo del tono normal. Por lo general este descenso es más brusco en la admiración.

1. La interrogación

1.1. Al empezar una frase interrogativa se usa mayúscula; pero, si hay una serie de interrogativas seguidas, sólo la primera debe seguir esta regla:

¿Has terminado ya? ¿nos podemos marchar?
¿Cuándo viene? ¿con quién? ¿a qué hora?
¿Vienes? ¿te vas? ¿te quedas?
¿A qué hora has llegado? ¿has tenido buen viaje?
¿Cómo es? ¿cuánto cuesta?

1.2. En algunas ocasiones, **la interrogación sólo se refiere a una parte del párrafo.** En consecuencia, **sólo este fragmento llevará los signos interrogativos:**

¿Qué me has preguntado? No estaba atento.
Si quieres café, ¿por qué no lo dices?
Señores, ¿qué han decidido?
Vamos a ver, ¿a qué cine iremos?
Si tenías que llegar tarde, ¿por qué no avisaste?

1.3. **No usamos los signos gráficos en las interrogativas indirectas.** En ellas aparecen verbos de entendimiento o de lengua (*mirar, decir, preguntar*) y partículas interrogativas:

Me preguntó qué hora es.
Querría saber cuándo abren el museo.
No sé cuánto tiempo pasará todavía.
No sabían dónde caerse muertos.
Deseaban conocer qué sorpresa les esperaba.

Las normas contenidas en los puntos 1.1 y 1.2 **son válidas para los signos de admiración.**

¡Qué estupendo! ¡qué ilusión!
¡Caramba con el muchacho! ¡qué alegría me das!
¡Qué horror! No lo hubiera creído nunca.
¡Qué sorpresa! No te esperaba hoy.
Estoy pensando en dejarlo todo. ¡Sólo se vive una vez!

2. La admiración

Los signos de admiración dan más énfasis a la frase y anuncian valores afectivos en ella. Son signos dobles y se usan en oraciones exclamativas y con interjecciones:

¡Socorro!	*¡Acércate!*	*¡Oh!*	*¡Dios mío!*
¡Cállese!	*¡Márchate!*	*¡Bravo!*	*¡Bienvenido!*

No escribimos punto después de los signos de interrogación o admiración:

¿Quiere algo? No, gracias.
¡Qué maravilla! Estás más joven que nunca.

Si usamos coma después de los signos de admiración e interrogación, la palabra que sigue empieza por minúscula:

Aunque yo, ¿sabes?, no lo considero así.
Se encontró con el monstruo, ¡qué horror!, y no supo reaccionar.

Los signos de interrogación o admiración entre paréntesis indican sorpresa o duda:

Nació en 1525 (?)   Ha dicho que sí (?)   Lo ha negado (!)   Quiere casarse (!)

Nota:
No olvidemos al usar los signos de admiración las normas 1.2 y 1.3 referidas a la interrogación (*ver pág. 45*).

Resumen	
Interrogación	**Admiración**
signos dobles	signos dobles
Funciones	**Funciones**
petición de información	deseo/mandato
duda	alegría/pesar/sorpresa

El guión

El guión tiene la función de dividir o relacionar distintos elementos. Se presenta en forma de pequeña rayita **(-)** que se coloca a la altura del centro de las minúsculas, y nunca debajo de la letra que queda separada al final de renglón.

Su uso debe restringirse a los criterios ortográficos que señalaremos a continuación y en ningún caso se aceptan otras finalidades, como la de llenar los posibles espacios en blanco que designaban un principio o final de renglón.

Usos

1. **En palabras compuestas:**

Relaciona palabras compuestas. En este caso, el compuesto suele ser un gentilicio en que los elementos relacionados no llegan a fundirse, sino que conservan su oposición:

franco-italiano	*germano-soviético*	*hispano-luso*
anglo-americano	*hispano-helvético*	*austro-húngaro*

Si el compuesto alude a una realidad geográfica en la que se han fundido ambos pueblos o territorios, o bien a una realidad política, se escribe sin guión:

hispanoamericano	*estadounidense*	*socialdemócrata*

En otros casos, se usa cuando **relaciona palabras compuestas formadas por dos adjetivos en que el primero se conserva invariable y el segundo concuerda con el nombre al que acompaña:**

teórico-práctico	*médico-sanitarias*	*técnico-administrativa*

Finalmente, **no se usa el guión en palabras compuestas en las que interviene un afijo:**

automóvil	*floricultura*	*antibritánico*
contradanza	*semicírculo*	*descubrir*

2. **En fechas:**

El guión relaciona fechas distintas que abren y cierran un período determinado: duración de una guerra, de una vida, de una obra:

curso 1990-1991
temporada 1980-1982
Luis Buñuel (1900-1983)
Guerra de Secesión (1861-1865)

3. **En separación de sílabas de una palabra:**

El guión divide las palabras al final de línea, cuando por necesidades de espacio debemos seguir escribiendo en la siguiente. Ahora bien, la separación debe hacerse de acuerdo con unas normas:

3.1. **La división debe respetar las sílabas de una palabra:**

bon-dad	*dar-do*	*re-cinto*
blan-co	*gracio-so*	*mer-cado*
ca-lle	*refle-jo*	*crá-ter*
cir-co	*si-tio*	*so-lapa*
li-bro	*me-dio*	*regis-tro*

3.2. **Debe evitarse, sin embargo, la aparición de vocales sueltas al principio o al final del renglón:**

ejemplo	*incorrecto*	*correcto*
aligerar	*a-ligerar*	*ali-gerar*
obrador	*o-brador*	*obra-dor*
inicial	*i-nicial*	*ini-cial*
elegir	*e-legir*	*ele-gir*
anestesia	*a-nestesia*	*anes-tesia*
único	*ú-nico*	*úni-co*
correa	*corre-a*	*co-rrea*
tenía	*tení-a*	*te-nía*
polea	*pole-a*	*po-lea*
garbeo	*garbe-o*	*gar-beo*

3.3. En los compuestos formados por palabras que, aisladas, ya tienen uso en la lengua (se incluyen también los prefijos), la colocación del guión es potestativa, aunque no coincida con la división silábica.

de-samparo/des-amparo   ma-lestar/mal-estar   no-sotros/nos-otros
de-salmado/des-almado   vo-sotros/vos-otros   de-sactivado/des-activado
su-bestimar/sub-estimar   tra-soír/tras-oír   de-satar/des-atar

3.4. La *h* precedida de consonante que no sea *c* siempre forma parte de la sílaba siguiente:

des-honesto   des-hacer   al-helí
clor-hidrato   des-hidratar   Mul-hacén
des-helar   in-hábil   Al-hambra

3.5. La *ch,* la *ll* y la *rr* nunca se separan, pues representan un solo fonema:

an-chura   si-lla   a-rroz
ca-cho   ca-llo   co-rrida
ran-cho   re-llano   soco-rro

3.6. La doble *c (cc)* se separa formando parte de dos sílabas distintas:

ac-cidente   convic-ción   oc-cidental
aflic-ción   coc-ción   confec-ción
suc-ción   ac-ción   reac-ción

3.7. El grupo *-tl-:*

Es aconsejable no separar nunca este grupo consonántico a final de línea:

atle-ta   Atlán-tico   atle-tismo
atlan-te   atlé-tico   nahua-tlaco*
nauha-tle*   nahua-tlismo*   nahua-tlista*

---

*   Las palabras con asterisco son americanismos.

Resumen	
Guión	
Divide	**Relaciona**
sílabas	fechas palabras compuestas

La raya

La raya, como el guión, se representa por una breve línea horizontal, pero más extensa. Su uso puede ser simple [–] o doble [–...–], según las situaciones en que se emplee, y sus funciones suelen asimilarse al paréntesis.

Usos

1. **En los diálogos:**

Se emplea para señalar el inicio de la intervención de un personaje o interlocutor en el diálogo:

La mujer le dijo:
–¿Quién es?
–Tomé García – contestó el chico.
–Bien.
–¿Es usted la señora de la casa?
–Yo misma – respondió Adelaida.
–Entonces el paquete es suyo.

2. **En los incisos:**

Se emplea la raya antes y después de oraciones que, por su significado, se desligan del discurso:

Cuando vi a Fernando –ya sabes cómo he intentado olvidarlo– estuve llorando mucho tiempo.
Yo iba a comprarle libros –cualquiera le niega un favor– y me encontré a su prima.

3. **Para indicar grados de temperatura bajo cero, años anteriores a Jesucristo y depresiones situadas bajo el nivel del mar:**

Esta noche el termómetro ha alcanzado –3° C.
Los griegos desembarcaron en Ampurias el año –195.
Esta llanura está ubicada a –25 m.

4. **Para intercalar el verbo introductor del diálogo (decir, replicar, exclamar...) en medio de un párrafo. Si dicho verbo va al final, sólo se pone raya al principio:**

> *«–¿Qué le pasa? –dijo el enfermero– ¿De qué se ríe?*
> *–«De nada –replicó el Jaguar.»*
> Mario Vargas Llosa, *La ciudad y los perros.*

5. **Para acotar incisos, palabras o explicaciones dentro de una frase, de manera similar al paréntesis:**

> *Mientras hago mi trabajo –el pesado y monótono trabajo de cada día– escucho música.*

6. **El guión que cierra una aclaración desaparece cuando coincide con un punto:**

> *Nunca pude disfrutar de ello –aunque nadie me lo impidió directamente.*

Resumen	
La raya	
Función	**Usos**
separa	diálogos incisos

Paréntesis

El paréntesis se representa gráficamente como signo doble **( )** y se asemeja en sus funciones a la raya. Señala datos opcionales o marginales y suele producir resultados expresivos en textos teatrales:

«**Calisto**
Pero no de Melibea. Y en todo lo que me has gloriado, Sempronio, sin proporción ni comparación se aventaja Melibea. Mira la nobleza y antigüedad de su linaje, el grandísimo patrimonio, el excelentísimo ingenio, las resplandecientes virtudes, la altitud e inefable gracia, la soberana hermosura, de la cual te ruego me dejes hablar un poco, porque haya algún refrigerio. Y lo que te dijere sea de lo descubierto; que si de lo oculto yo hablarte supiera, no nos fuera necesario altercar tan miserablemente estas razones.
Sempronio
(¡Qué mentiras, y qué locuras dirá agora este cativo de mi amo!)
Calisto
¿Cómo es eso?
Sempronio
Dije que digas, que muy gran placer habré de lo oír. (Así te medre Dios como me será agradable ese sermón.)
Calisto
¿Qué?
Sempronio
¡Qué así me medre Dios como me será gracioso de oír!»
Fernando de Rojas, *La Celestina*

Usos

1. **En aclaraciones:**

El paréntesis encierra aclaraciones que se desligan de la oración en que se incluyen. En este uso coincide con la raya. Sin embargo, siempre es mejor usar el paréntesis en unidades extensas:

No quiso saber nada del tema (y fue mejor que así sucediera) cuando Pilar decidió marcharse a la ciudad.
Cerró la puerta y (tal como había meditado) abandonó el pueblo.

Las acotaciones teatrales se escriben entre paréntesis.

«**Pármeno** *(Aparte).*   – *¿Qué le dio, Sempronio?*
Sempronio *(Aparte).*   – *Cien monedas de oro.*
Pármeno *(Aparte).*   – *¡Hy! ¡Hy! ¡Hy!*
Sempronio *(Aparte).*   – *¿Habló contigo la madre?*
Pármeno *(Aparte).*   – *Calla, que sí.*
Sempronio *(Aparte).*   – *Pues ¿cómo estamos?*
Pármeno *(Aparte).*   – *Como quisieres, aunque está espantado.*
Sempronio *(Aparte).*   – *Pues calla, que yo te haré espantar dos tanto.»*

Fernando de Rojas, *La Celestina.*

2. En fechas o datos explicativos:

El paréntesis incluye informaciones marginales al texto, pero que son importantes para el lector: fechas, nombre del autor de una cita, explicación de abreviaturas, provincia o país al que pertenece un pueblo o ciudad, etc.:

En ese tiempo (1970-1975) aprendió a pilotar un avión.
La ONU (Organización de Naciones Unidas) prepara un congreso sobre la infancia.
En el próximo curso (1991-1992) se estudiará una nueva distribución de grupos.
Vive en Santa Fe (Argentina).

3. En enumeraciones:

Cuando esquematizamos un grupo de ideas en diversos puntos y los organizamos ordenadamente, podemos utilizar un paréntesis para enmarcar la letra o el número de esa extensión:

a) *minerales*
b) *vegetales*
c) *animales*

1) *planteamiento*
2) *nudo*
3) *desenlace*

4. **En opciones posibles:**

En el paréntesis se incluyen como posibles u optativos los datos que pueden aparecer en la palabra a la que siguen:

apreciado (a) Sr. (a)
alumno (a)
chico (a)
Director (a)
Doctor (a)
Licenciado (a)
Procurador (a)

5. **Cuando en un inciso se abre otro, el primero suele ir entre los signos del paréntesis y el segundo entre rayas:**

Casi todos los poetas españoles del siglo XX (J.R. Jiménez, A. Machado –en su primera época–, Valle Inclán) recibieron influencias de Rubén Darío.
La cena de los Rodríguez (los periodistas la frecuentan –hoy todo es noticia– con sus cámaras) resultó ser un desastre.
Las obras de Juan Ruiz (Libro de Buen Amor –o de «mal amor»– es la única que conocemos) son características de la Edad Media.
Todos los matrimonios aparecieron sonrientes (estaban los Pérez, los Méndez, los López –ambos muy elegantes–, los Galíndez y los Martínez) y se saludaron muy efusivamente.
El propio entrenador (con cara cansada –no malhumorada– y aspecto desaliñado) confirmó su satisfacción por el resultado de la prueba a que fue sometido su equipo.
Fue mi amigo Pedro (el hermano de Isabel –aquella joven rubia de quien te hablé– y de Joaquín) el único que acertó todas las cuestiones del concurso.

Resumen

Paréntesis

Funciones	Usos
aclarar	frases incidentales en el discurso datos marginales enumeraciones opciones de las palabras

Corchetes

Los corchetes [ ] equivalen a los paréntesis pero sólo se usan en los siguientes casos:

1. Enmarcan palabras u oraciones ya comprendidas entre paréntesis:

El manuscrito (llamado manuscrito de Sevilla [1345]) hacía mucho tiempo que se hallaba extraviado.
Aquellos rebeldes paraguayos (se alzaron contra las autoridades españolas [1717]) fueron conocidos por el nombre de Comuneros.

2. Se usa para encerrar fórmulas:

El agua [H_2O] es un cuerpo formado por la combinación de un volumen de oxígeno y dos de hidrógeno.
El anhídrido carbónico [CO_2] se origina en la combustión del gas natural.
El nitrato de potasio [KNO_3] se utiliza como abono.

3. Encierran lo que falta en el original de códices o inscripciones y que se da por supuesto:

«*Hazía solimán, afeyte cozido, argentadas, bujelladas, cereillas, llanillas, cinturillas, lustre, luzentores, clarimientes, alvalinos y otras aguas de costro, de rasuras de gamones, de cortezas de [e]spantalobos, de taraguntía, de hieles, de agraz, de mosto, destiladas y açucaradas.*»
Fernando de Rojas, *La Celestina.*

4. Encierran aclaraciones del autor en sus transcripciones:

Prefieren [los políticos] anunciar las elecciones con anticipación.
Creía que se confirmarían sus suposiciones [las del complot].
Nadie adivinó el desenlace que él [el narrador] les había reservado.
Los revisaron todos [los textos manuscritos] y no encontraron el error.

Resumen

Corchetes

Funciones	Usos
aislar informaciones	aclaración dentro de un paréntesis
	fórmulas científicas
	interpolaciones añadidas en un texto incompleto

Las comillas

Las comillas (**«**) destacan una expresión, ya sea porque refieren algo que se ha dicho o escrito en otra situación o lugar, o bien porque resaltan palabras especiales.

Cuando no se trate de citas literales, podemos alternar el uso de las comillas destacando las palabras elegidas con el subrayado o el cambio del tipo de letra.

Usos

1. **En citas textuales:**

Las comillas enmarcan las palabras textuales de alguien en un contexto nuevo:

«Volverán las oscuras golondrinas».
La RAE define «ornar» como «engalanar con adornos».
Esa tarde entonábamos aquello de «Mi carro me lo robaron anoche cuando dormía».
Ya lo dijo Jesús: «Mi reino no es de este mundo».
Éstas fueron las únicas palabras que pronunció el famoso atleta: «He venido a ganar».
Terminó el discurso diciendo con gran énfasis: «Reflexionemos sobre nuestro futuro».

Las citas extensas presentan comillas invertidas al principio de cada párrafo.

«El profesor de historia interrumpió la clase para citarnos unos fragmentos de Leonardo da Vinci:
»El unicornio olvida su ferocidad, incapaz de vencer la atracción que sobre él ejercen las mujeres. Dejando de lado toda suspicacia, se llega a una de ellas y duerme en su regazo. Y es así cómo los cazadores consiguen apoderarse de este animal selvático.
»Humildad. Es el cordero sumo ejemplo de humildad. Se somete a todos los otros animales. Cuando es arrojado a la jaula del león para servir a éste de alimento, se entrega a él como a la propia madre, y tan mansamente que se ha visto muchas veces al león negarse a matarlo.«

2. Para destacar vocablos:

2.1. Para provocar énfasis o destacar una palabra o expresión utilizada con algún matiz especial o con un sentido distinto del que tiene habitualmente:

¡Vaya «mecánico» estás tú hecho!
¡Buena «faena» me habéis hecho!
¡Vaya «amiguita» te has buscado!
Ha realizado un ejercicio «magnífico»: ha sacado un dos.

2.2. En voces extranjeras:

La novela fue un «boom».
El chico es «heavy».
Está hecho un «teenager».
Parece un verdadero «crack».

2.3. En apodos, seudónimos o sobrenombres:

Leopoldo Alas «Clarín»
Ludovico Sforza «el Moro»
José Martínez Ruiz «Azorín»
José de Ribera «el Españoleto»

En un texto ya entrecomillado destacamos las palabras con las comillas simples:

Dijo: "Iré tarde, 'demasiado' tarde."
Dijo: "¿Sabréis distinguir entre 'fabrico' y 'fabricó'?"
El profesor precisó: "No es lo mismo 'bello' que 'vello'."
Nos contestó: "Ha sido fácil, 'excesivamente' fácil."

2.4. Cuando deliberadamente se deforma una palabra o se escribe incorrectamente:

Pues lo ha «contao» (contado) todo.
El niño dijo que había comido «cocretas» (croquetas).
El establecimiento se anunciaba como «salsichería» (salchichería).
Te has «colao» (colado).

3. **Otros casos:**

3.1. Títulos de capítulos de un libro, cuando se citan en otro contexto, y en los títulos de artículos de revistas o periódicos:

El capítulo «Introducción a la matemática» es de carácter muy general.
El artículo «Libertad y fantasía» publicado en La Vanguardia ha tenido mucha repercusión.
«Los caminos» es un grupo de poemas de Soledades.

3.2. En obras literarias, las transcripciones de los pensamientos de los personajes:

«Es una cuestión difícil», pensó Gerardo.
«No llegaré a la hora prevista», se decía a sí mismo.
«Volveré a estar solo», se repetía Miguel.

3.3. Para delimitar el título de una obra:

Mozart es el autor de «La flauta mágica».
Ridruejo es autor de «En once años», «Hasta la fecha» y «Cuaderno catalán».
Me prestó hace tres días «La casa de los espíritus» y ya lo he terminado de leer.

3.4. En el enunciado de nombres de instituciones:

En la Fundación «José Carvajal» dan un ciclo de conferencias.
La lista de premios está expuesta en la sede del «Círculo de lectores».
El presidente del Instituto «Santa Inés» clausurará el cursillo.

3.5. En los textos de temas lingüísticos, para señalar una acepción o significado determinado:

En la frase anterior, cabeza significa «talento» y no «cráneo».
Herrar es «clavar herraduras» y errar es «equivocarse».
Las palabras bario «metal» y vario «diverso» son homófonas.

Resumen

Comillas

Funciones	Usos
destacar enfatizar	citas extranjerismos apodos títulos de capítulos y de artículos pensamientos de personajes nombres de instituciones acepciones lingüísticas

Otros signos de puntuación

Los siguientes signos de puntuación son auxiliares, pero su presencia en los textos hace necesaria aquí su explicación.

1. Diéresis o crema (ü)

La diéresis consiste en dos puntos que se escriben sobre la u cuando se indica su pronunciación dentro de las sílabas güi, güe:

cigüeña	*lingüística*	*nicaragüeño*	*vergüenza*
zarigüeya	*Sigüenza*	*cigüeñal*	*lengüeta*
lengüilargo	*lengüetada*	*antigüedad*	*halagüeño*

2. Apóstrofo (')

Es un signo que indicaba antiguamente alguna omisión de vocal:

d'aquel	*l'astronomía*	*l'ora*	*d'ellos*
todo'l	*d'Alcañiz*	*d'aquestos*	*l'apóstol*

Hoy se usa únicamente en reimpresiones de obras antiguas.

3. Calderón (¶)

Signo ortográfico que sirve para señalar alguna observación especial. Se usa después de punto y aparte para conseguir una página regular sin sangrados.

¶ *Y entonces empezaron las luchas en la ciudad.*

4. Párrafo (§)

Sirve para indicar las divisiones de un escrito seguido del número que les corresponda. El ejemplo siguiente indica que se debe consultar la información contenida en el apartado número 14:

§ 14

5. Asterisco o llamada (*)

Indica al lector, detrás de ciertas palabras, que a pie de página hay una nota acerca del asunto del que se trata.

En este libro se ha utilizado para indicar todas las palabras que son americanismos:

nauhatle*   *huipil**   *rascabuche**

En lingüística, el asterisco indica que una forma o palabra es hipotética o incorrecta. En estos casos suele colocarse delante de la forma que no se considera normativa.

La falta de concordancia es un error gramatical en «El chico y el panadero *vive (viven) cerca».

6. Doble pleca (‖)

Se usa en los diccionarios para indicar que se pasa a otra acepción de la voz que se define:

cerrar. *tr. Asegurar con algo una puerta o ventana. ‖ Juntar los párpados, los labios o los dientes.*
calidad. *f. Propiedad que permite comparar a alguien con los demás. ‖ Condición en un contrato.*
imprentar. *tr. Chil. Planchar. ‖ Emprender. ‖ Proyectar, idear.*
norma. *f. Escuadra o cartabón. ‖ Modelo a que se ajusta una fabricación. ‖ fig. Regla.*

7. Diagonal o barra (/)

Significa **por** en los símbolos técnicos:

eritrocitos/campo   *avanzaban a 53 km/h*   *tres tomas/día*
gotas/h   *300.000 km/sg*   *corrían a 20 km/sg*
kw/h   *kg/m²*   *kilográmetros/min*
10 gr/kg   *35 pts./kg*   *50.000 pts./m²*

8. **Llave ({ })**

Tiene el mismo valor que el corchete, aunque la llave restringe su uso para encerrar fragmentos de texto en cuadros sinópticos. Ejemplo:

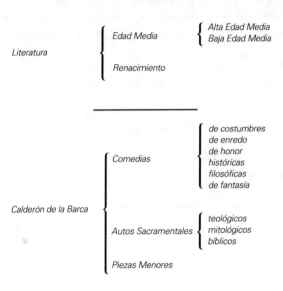

9. **Cedilla (ç)**

Signo ortográfico usado debajo de la *c* en la antigua escritura española y cuya representación es una coma o virgulilla debajo de la letra mencionada. En realidad, corresponde a una antigua distinción fonética:

Mio Çid, el de Vivar
«Pero assí, perdida ya la esperança, pierdo la alegría.»

Igualmente puede usarse en palabras extranjeras:

Curaçao   *Açores*   *Eça de Queiroz*

Resumen Signos	Funciones	Usos
Diéresis (¨)	destacar pronunciación	en **güi, güe**
Apóstrofo (')	destacar omisión vocal	entre artículo y nombre, por ejemplo
Calderón (¶)	observaciones	en diccionarios
Párrafos (§)	dividir escrito en números	a principio de párrafo
Asterisco (*)	observaciones	nota a pie de página formas discutibles en lingüística
Doble pleca (‖)	indica variaciones	en acepciones distintas del diccionario
Diagonal (/)	separar	cuando significa **por**
Llave ({ })	observaciones	en cuadros sinópticos
Cedilla (ç)	marca de fonema	palabras antiguas o extranjeras

La acentuación

La acentuación permite distinguir determinadas sílabas de las restantes marcándolas con una mayor intensidad al pronunciarlas. No se trata, sin embargo, de esa intensidad variable con que algunas veces queremos poner de relieve alguna palabra porque nos domina una emoción. El acento en las sílabas marcadas es fijo en la lengua y no puede decidirlo el hablante de forma libre.

No se debe confundir **acento** con **tilde. Acento** es la mayor intensidad con que pronunciamos una determinada sílaba en una palabra. Las palabras o sílabas con acento se llaman **tónicas** y reciben el nombre de **átonas** las palabras o sílabas sin acento. En *papel, camión* y *pájaro,* son tónicas las sílabas *-pel* (papel), *-ón* (camión) y *pá-* (pájaro); las demás son átonas. Las tres palabras son también tónicas. Las palabras *el, que, con, de,* son, por el contrario, átonas.

El acento se representa algunas veces gráficamente por una rayita oblicua que se traza siempre de derecha a izquierda (nunca de izquierda a derecha) (´) y se coloca sobre la vocal de la sílaba tónica. Es la **tilde.**

En el idioma castellano esta incorporación del acento a la ortografía es imprescindible, ya que tiene valor fonológico. Ello implica que el acento que se marca en determinadas sílabas es inalterable y está fijado por la lengua más allá de realizaciones personales. Su aparición es significativa, de forma que si alteramos su posición, alteramos también el significado de la palabra y, a veces, su categoría gramatical: *ejército* es un sustantivo que designa el «*conjunto de fuerzas militares de una nación*»; *ejercito* y *ejercitó,* que han modificado sólo su acentuación con respecto a la palabra anterior, son dos formas de los tiempos presente y pretérito perfecto simple del modo indicativo del verbo *ejercitar,* que significa «*aprender mediante el ejercicio».* Veamos unos cuantos ejemplos más.

ánimo	animo	animó
cálculo	calculo	calculó
capítulo	capitulo	capituló
crítico	critico	criticó
depósito	deposito	depositó
diálogo	dialogo	dialogó
estímulo	estimulo	estimuló
filósofo	filosofo	filosofó
género	genero	generó
médico	medico	medicó
pacífico	pacifico	pacificó
práctico	practico	practicó
próspero	prospero	prosperó
público	publico	publicó
término	termino	terminó
tránsito	transito	transitó

La tilde nos ayuda, pues, a reconocer y a leer adecuadamente las palabras y su empleo se limita a algunos casos establecidos para no complicar la escritura.

Acento prosódico y acento ortográfico

Según hemos explicado, existen dos clases de acento: el **prosódico** y el **ortográfico.**

El **acento prosódico es esa máxima intensidad o fuerza acústica que sólo poseen algunas sílabas** y que viene fijada por la lengua. Se llama también **acento fonético, acento tónico** o, simplemente, **acento.** Corresponde a la pronunciación de las palabras.

El **acento ortográfico es la tilde,** signo ortográfico que se utiliza solamente en la escritura sobre algunas sílabas tónicas.

Palabras átonas

La mayoría de las palabras del idioma español son tónicas y son muy pocas las palabras átonas, que carecen de acento porque estas palabras se apoyan en otras que son tónicas y forman con ellas **grupos de intensidad**:

te lo daré	os llevo	véndemelo
mi cargo	si lo espera	que su hija
donde quieras	se lo dijo	quien lo sepa
la silla	les tuteo	entre todos

El siguiente cuadro las reúne a todas:

artículos determinados	el, la, los, las, lo
adjetivos posesivos antepuestos al nombre	mi(s), tu(s), nuestro(s) nuestra(s), vuestro(s), vuestra(s)
pronombres personales átonos complementos sin preposición	me, te, nos, os, lo(s), la(s), le(s) se
preposiciones (excepto según)	a, ante, bajo, cabe, con, contra, de, desde, en, entre, hacia, hasta, para, por, sin, so, sobre, tras.
conjunciones y adverbios relativos	y, ni, pero, sino, que, pues, conque, si, como, donde, etc.
pronombres y adjetivos relativos	que, quien, cuanto, cuyo

Otras palabras poseen, por el contrario, dos acentos: es el caso de los adverbios acabados en -mente. Así tendríamos:

amargadamente	felizmente	mágicamente
suavemente	prontamente	absolutamente

Salvando estas excepciones, la mayoría de las palabras tienen una sola sílaba tónica.

creo	naturaleza	invierno

Todo buen hablante debe pronunciar correctamente los acentos de intensidad en las sílabas adecuadas y recordar que este acento prosódico no exige siempre la presencia de la tilde, que se restringe a una serie de normas que veremos a continuación.

La Academia exige que se acentúen, cuando así lo requieran las normas, tanto las minúsculas como las mayúsculas.

Reglas de acentuación de las palabras

Según la situación del acento tónico, clasificamos las palabras en **agudas, llanas o graves, esdrújulas y sobreesdrújulas.**

Son **agudas u oxítonas las palabras en que el acento recae sobre la última sílaba:**

amar	bribón	feliz	laurel
avión	detrás	frivolidad	reptil
bisoñé	farol	intensidad	sentir

Se agrupan en llanas, graves o paroxítonas las palabras en que el acento se sitúa en la penúltima sílaba tónica. En español, la mayoría de las palabras pertenecen a este grupo:

acuarela	árbol	canciones	extraño
álbum	baile	cariño	fuente
algarabía	calle	día	suerte

Las esdrújulas o proparoxítonas tienen el acento en la antepenúltima sílaba:

ágape	explícito	público	títere
básico	mágico	rápido	único
cántaro	náufrago	sátira	vértigo

En las sobreesdrújulas o superproparoxítonas la sílaba tónica recae en la anterior a la antepenúltima:

avísamelo	comunícaselo	móntatelo	descúbresela
coméntanoslo	cuénteselo	repítamelo	llévatelo
véndemelo	invéntatelo	créetelo	aseméjasele

Gracias a las reglas de acentuación, podemos saber cuáles son las sílabas tónicas que llevan tilde. La tilde es, a veces, el único rasgo gráfico que permite diferenciar palabras de igual grafía pero de significado distinto.

La utilización del signo gráfico se basa en una serie de normas que sistematizan su empleo. Estas normas generales de acentuación son las siguientes:

Palabras agudas

1. **Llevan tilde las palabras agudas que acaban en vocal:**

amó	hindú	Moscú	sofá
bajé	irá	paró	tabú

2. **Llevan tilde las palabras agudas que acaban en -n o -s:**

avión	compás	esquís	revés
cafés	detrás	huracán	varón

3. **No llevan tilde cuando la -n o la -s van precedidas de otras consonantes, aunque éstas sean -n o -s:**

Amils	Canals	Ramilans	Molins
Campins	Castells	Obiols	Orleans

4. **No llevan tilde las palabras agudas acabadas en -y (-ay, -ey, -oy):**

Alcoy	convoy	Paraguay	Uruguay
verdegay	guirigay	ubajay*	estoy

* Las palabras con asterisco son americanismos.

5. **No llevan tilde las palabras agudas acabadas en consonantes distintas de -n o -s:**

alud	crucial	Simbad	veloz
clamor	feroz	tapiz	sentir

6. **Tampoco llevan tilde las palabras agudas procedentes del catalán acabadas en -eu, -au, -ou, -iu:**

Codorniu	Espriu	Palau	Salou
Dalmau	Feliu	Masdeu	Santacreu

Palabras llanas

1. **Llevan tilde las palabras graves o llanas cuando acaban en consonante distinta de -n o -s:**

álbum	cárter	Dniéper	mármol
alférez	César	Félix	prócer
árbol	césped	frágil	retráctil
azúcar	Chávez	Gutiérrez	símil
cáliz	cóndor	lápiz	táctil
cáncer	Cortázar	López	útil
carácter	cráter	mástil	versátil

2. **No llevan tilde las palabras graves acabadas en vocal:**

alegre	casa	gusta	rostro
amigo	contiguo	llegada	sonrisa
antiguo	distante	mano	tomado
ausente	dolorosa	paloma	vale
boleto	durante	pelota	venda
cala	enredadera	poeta	venida
camino	estatua	primavera	zanja

3. **No llevan tilde las voces llanas terminadas en -n o -s:**

abundan	dosis	margen	somos
buenas	duendes	miran	sueñan
canon	examen	orden	tiempos
cantan	gravamen	quedan	usurpan
cerrados	hombres	resumen	vienen
cortes	jardines	salvas	virgen
cumbres	lumen	solos	volumen

Se exceptúan de esta regla las palabras acabadas en -n o -s precedidas de otra consonante:

fórceps	bíceps	tríceps

Palabras esdrújulas y sobreesdrújulas

Todas las palabras esdrújulas y sobreesdrújulas deben llevar acento ortográfico:

Esdrújulas

álgido	ínclito	emblemático	tálamo
bélico	médico	político	último
eléctrico	músico	clásico	único
emérito	patético	mágico	cántico
pálido	párroco	escuálido	máquina
cántaro	escándalo	apéndice	pérfido

Sobreesdrújulas

acércamelo	discútasele	muéstraseme	atrápamelo
encárgaselo	guárdanoslo	llevémoselo	vístasele
recuérdamelo	entrégasela	empiécenoslo	véndamelo
véndeselo	coménteselas	inviértaselos	atízasela
entrégamelo	llevándosela	otórgueselo	habiéndoselo
dígaselo	mostrándomelo	consíguemela	explíquemelo

Resumen			
Acentuación ortográfica			
Agudas	**Llanas**	**Esdrújulas**	**Sobreesdrújulas**
si acaban en vocal: *cantó*	si acaban en consonante *(excepto -n/-s)*	todas sin excepción	todas sin excepción
si acaban en -n: *melón*	*césped*	*práctico*	*recréanoslo*
si acaban en -s: *anís*			

Acento diacrítico

Existe una tilde que se usa como diferenciadora de palabras con la misma grafía. Es el **acento diacrítico**, que sirve para diferenciar una palabra de otra de igual forma pero de distinta función o significado.

1. Los monosílabos

La normativa prescribe que los monosílabos no lleven acento ortográfico, puesto que no es necesario señalar la sílaba tónica:

clan	fe	luz	prez
dio	fue	mar	pues
doy	gas	pan	ras
faz	gol	pie	sol
soy	es	va	clan

Únicamente se acentúan las palabras monosílabas cuya doble función podría dar lugar a confusiones:

Con tilde

él	pronombre:	*él va*
mí	pronombre:	*es para mí*
tú	pronombre:	*tú vas*
té	sustantivo:	*tomo té*
dé	verbo:	*dé la carta*
sé	verbo:	*sé inglés*
aún	adverbio:	*aún vive (todavía)*
más	adverbio:	*no quiero más*
sí	adverbio:	*sí quiero*
ó	conjunción:	*19 ó 20 (entre cifras)*

Sin tilde

el	artículo:	*el chico*
mi	adjetivo:	*mi chico*
tu	adjetivo:	*tu chico*
te	pronombre:	*te llamo*
de	preposición:	*es de Viena*
se	pronombe:	*se llaman*
aun	adverbio:	*aun así, (incluso)*
mas	conjunción:	*puedo, mas no quiero*
si	conjunción:	*voy si puedo*
o	conjunción:	*azul o rojo (cuando no va entre cifras)*

2. Los adjetivos demostrativos

Los adjetivos demostrativos presentan dos funciones: como determinantes o como pronombres.

Llevan tilde cuando funcionan como pronombres. La tilde es facultativa, pero se aconseja su uso para evitar ambigüedades:

Éste es el tuyo y aquél el mío.
Aquéllas son mis primas.
¿Reconoces a ése de la barba?

No llevan tilde cuando funcionan como determinantes:

Este libro es tuyo.
Aquella cara me resulta familiar.
Ese rincón es mi preferido.

Recuérdese que los neutros esto, eso, aquello, no llevan nunca tilde:

Esto no me gusta.
Dame eso.
Quiero aquello.

3. **Los adverbios relativos**

Los adverbios relativos donde, cuando, como y cuanto llevan tilde cuando actúan como interrogativos o exclamativos:

¿Dónde estudias?
¿Dónde lo pusiste?
¿Cuándo volverán las golondrinas?
¿Cómo llegaste a Venecia?
¿Cuánto sufrirás por su amor?
¡Cómo te va!
¡Cuánto me alegro!

Los adverbios relativos se acentúan en las frases interrogativas indirectas:

Dime cuándo volverá.
No sé dónde aparcaremos.
No sabemos cómo llegó hasta aquí.
Me pregunto cuánto nos costará.

Los adverbios relativos se acentúan en sus formas sustantivadas:

Quiero saber el cómo y el cuándo de esa historia.
El cómo de la noticia nadie lo sabe.
Los periodistas preguntaron el cuándo del accidente.

No llevan tilde en las restantes situaciones:

Voy donde sabes.
Cuando te vayas, cierra la luz.
Estás como siempre.

4. **Los pronombres relativos.**

Los pronombres que, cual, quien se acentúan cuando actúan como interrogativos o exclamativos:

¿Cuál te gusta?
¿Quién será?
Ignoro quién será.
¡Qué divertido!

No llevan tilde en los otros casos:

Recibieron a los chicos que llegaban de Palma.
Llama a quien quieras.
Este es el tema del cual te hablé.

5. **El adverbio solo.**

Lleva tilde cuando es adverbio:

Su uso como adverbio se reconoce si puede sustituirse por **solamente:**

Sólo le vi una vez paseando por el parque.
Me parece que sólo quiere verte a ti.
Sólo se vive una vez.
Hablaré sólo en presencia del juez.

No lleva tilde cuando es adjetivo:

Me sentía solo paseando por el parque.
Viajaba solo para olvidarla.
El piano estaba solo en la sala.
Manolo fue al cine solo.
Vive solo en un piso muy grande.

La observación de esta norma no es, sin embargo, obligatoria, según nos lo indica la Real Academia, salvo en casos de ambigüedad o cuando existe riesgo de confusión o equívoco. De esta manera, se puede escribir el adverbio **solo**, sin tilde, en frases como: *Solo quiero tres.* Pero debe escribirse **sólo**, con tilde, en frases que se prestan a ambigüedad, como:

Toma café sólo (únicamente). / *Toma café solo* (sin compañía).
Viene un niño sólo (solamente). / *Viene un niño solo* (sin compañía).

6. **Porque, porqué, por que y por qué.**

Los usos de estas cuatro formas se resumen a continuación:

Forma	Función	Ejemplo
porque	conjunción causal conjunción final (= para que)	*No voy porque no me apetece.* *Salió despacio porque no le oyesen.*
porqué	sustantivo (= razón)	*No sé el porqué de su enfado.*
por que	preposición + pronombre relativo (= por el cual)	*Este es el motivo por que no iré.*
por qué	preposición + adjetivo interrogativo	*¿Por qué razón no quieres?*
por qué	preposición + pronombre interrogativo	*¿Por qué me llamas?*

Casos especiales de acentuación

1. Diptongo

A veces, en una sílaba concurren dos vocales distintas; en este caso, se produce un diptongo, que es la unión de una vocal abierta (a, e, o) con una vocal cerrada (i, u), o bien por la unión de dos vocales cerradas (iu, ui):

		Abierta-cerrada/cerrada-abierta				Cerradas
ai/ia	au/ua	ei/ie	eu/ue	oi/io	ou/uo	iu/ui
caigo	Mauro	reina	eunuco	coima	arduo	ciudad
aire	laurel	peine	reunir	sois	bou	viudo
magia	cuadro	nieve	puente	sabio	cuota	cuita
Asia	casual	siete	suerte	Antonio	fatuo	fuisteis

En la acentuación de los diptongos hay que tener en cuenta las reglas siguientes:

Si el diptongo está en la sílaba tónica de la palabra y la normativa exige su acentuación ortográfica, la tilde debe colocarse según las siguientes normas:

Sobre la vocal más abierta:

cantáis	diócesis	huésped	resuélvelo
cáustico	estiércol	óigame	suéltame
coméis	huérfano	parabién	también
sumáis	ciempiés	ciénaga	ciático
después	alféizar	buscapié	edición

Sobre la última vocal cuando las dos son débiles:

benjuí	casuístico	acuífero	cuídalo
Alfanhuí	arruínalo	destruí	imbuí
construí	cuídate	jesuítico	incluí

No se acentúan los monosílabos con diptongo:

dio	fue	vio	fui
vais	soy	voy	seis

No se acentúan las agudas acabadas en -ay, -ey, -oy:

caray	carey	Alcoy	Echegaray
Godoy	bocoy	buey	Paraguay
Monterrey	estoy	yarey*	yatay*

* Las palabras con asterisco son americanismos.

Son palabras llanas terminadas en diptongo:

hidrocefalia	espacio	matrimonio	miocardio
aerofagia	sexenio	parsimonia	sodio
rosario	antropofagia	historia	oratoria

2. **Triptongo**

Cuando concurren tres vocales (una abierta entre dos cerradas) en una sílaba se produce un triptongo.

Si el triptongo está en la sílaba tónica de una palabra y la normativa exige su acentuación ortográfica, la tilde se coloca sobre la vocal abierta:

ampliéis	espiéis	fastidiéis	continuéis
acentuéis	efectuáis	cambiáis	adecuáis
conceptuáis	averiguáis	graduáis	puntuáis
contagiáis	limpiáis	expropiáis	santigüéis

3. **Hiato**

Dos vocales abiertas en contacto forman hiato. También se produce hiato en la concurrencia de una vocal abierta con otra cerrada y tónica, o entre dos vocales cerradas:

ateo	vacío	diurno	leo
aéreo	línea	reo	áreas
coetáneo	neófito	reacción	saeta
nasofaríngeo	geometría	caoba	poeta

Cuando concurren una vocal abierta y otra cerrada tónica se acentúa la vocal cerrada, aunque no le corresponda por las reglas generales de acentuación:

desoír	dúo	raíz	período
ataúd	María	baúl	país
maíz	salían	oído	búho
zahúrda	vahído	caída	ahínco

A efectos ortográficos la combinación ui es considerada como diptongo, por lo que se acentúa cuando lo exigen las normas indicadas para la acentuación de los diptongos:

concluí	cuídate	huida	juicio
constituido	jesuita	fluido	diluido
cuidado	buitre	ruido	druida
huillín	huidizo	huiro	suicidio

Forman hiato los verbos acabados en -uir y las voces derivadas de ellos, aunque se omite la tilde en el infinitivo:

huir	confluir	recluir	influir
constituir	rehuir	concluir	restituir
excluir	atribuir	sustituir	redargüir
prostituir	imbuir	intuir	instruir

La h entre vocal cerrada tónica y vocal abierta átona no impide el hiato:

ahílar	tahona	Mahón	truhana
búho	rehúso	vahído	ahínco
ahíto	zahúrda	tahúr	tahúlla
rehílo	mohíno	cahíz	ahí
vehículo	mohín	prohíbo	ahogo

Tampoco impide el diptongo:

buhonero	rehicimos	desahucio	buhardilla
ahumado	ahumar	sahumerio	sahumar
ahitar	cohibir	tahitiano	rehusar

81

4. Palabras compuestas

Sólo se debe tener en cuenta para la colocación de la tilde la última palabra del compuesto, aunque la primera se acentúe cuando aparezca en solitario:

asimismo	decimocuarto	oceanográfico	decimoquinto
tiovivo	sabelotodo	rioplatense	decimoséptimo
duermevela	viaducto	decimotercero	hispanoamérica

Se exceptúan de esta regla:

Los adverbios acabados en -mente, que conservan el acento del adjetivo:

fácilmente	grácilmente	tímidamente	geográficamente
trágicamente	íntimamente	históricamente	pálidamente
lógicamente	plácidamente	cíclicamente	gélidamente

Los compuestos formados por guiones, cuyas palabras conservan, cada una, la acentuación que les corresponde como palabras simples.

cántabro-astur	científico-literario	hispano-árabe	histórico-crítico
anglo-francés	vasco-cántabro	hispano-alemán	teórico-práctico
político-social	socio-económico	austro-húngaro	político-económico

Las formas verbales con incorporación de pronombres que conserven la acentuación de su forma pura:

cantóles	formóse	roguéle	cambióme
miróme	contóle	vestíme	recogiólo
acusóle	vistióse	hablóme	dirigióle

Los compuestos con prefijos griegos, que llevan tilde como si fueran palabras simples:

dipsómano	pentágono	termómetro	xilófono
ególatra	psicópata	xenófobo	pentámetro
psicólogo	cardiópata	parámetro	hexámetro

Llevan tilde cuando les corresponde según las reglas de acentuación, los compuestos formados por palabras que, en su forma simple y monosilábica, no la llevan:

puntapié	balompié	ciempiés	hincapié
parabién	traspié	veintidós	veintitrés
entredós	vaivén	veintiséis	dieciséis

Llevan tilde las formas verbales compuestas cuando se convierten en esdrújulas o sobreesdrújulas:

exprésamelo	canturréanoslo	represéntanoslo	visítaselo
cuéntamelo	sonríele	llévenselo	guárdatelo

5. Nombres propios

Los topónimos adaptados a la fonética del español deben acentuarse según las reglas generales:

Berlín	Moscú	Nápoles	Bélgica
París	Génova	Pekín	Japón
Túnez	Ródano	Dublín	Saigón

6. Palabras latinas

Se acentúan siguiendo las normas conocidas:

accésit	currículum	ítem	aquárium
tránseat	exequátur	memorándum	auditórium
ídem	déficit	superávit	ultimátum

7. Palabras en plural

Algunas palabras cambian el acento prosódico de sílaba según estén en singular o en plural:

carácter	caracteres
espécimen	especímenes
régimen	regímenes

Resumen de los casos especiales de acentuación.

Diptongo		Triptongo	Hiato	
vocal abierta + vocal cerrada	vocal cerrada + vocal cerrada	vocal cerrada + vocal abierta + vocal cerrada	vocal abierta + vocal tónica	vocal cerrada + vocal cerrada
acentuar abierta *coméis*	acentuar última *benjuí*	acentuar abierta *efectuáis*	acentuar cerrada *búho*	acentuar última *cuídate*

Compuestas		Nombres propios	Palabras latinas
conservan acentuación simple	**no conservan acentuación simple**	se acentúan según normativa si están adaptados al castellano: *Berlín*	se acentúan según normativa: *memorándum*
adverbios en -mente: *fácilmente*	primera palabra compuesto: *tiovivo*		
compuestos con guiones: *cántabro-leonés*	compuestos con prefijos: griegos: *pentágono*		
verbos con pronombres enclíticos *envióme*	compuestos con monosílabo: *puntapié*		
	formas verbales que pasan a esdrújulas o sobreesdrújulas *exprésamelo*		

Palabras de doble acentuación

En algunas palabras, el acento puede recaer sobre sílabas distintas debido, casi siempre, a preferencias del español de España o del español de América. Esta doble posibilidad es aceptada oficialmente por la Real Academia Española de la Lengua. He aquí las principales palabras que presentan este caso. *Las palabras situadas en la segunda columna son las formas preferidas por la Academia:*

No recomendable	Recomendable
acne	acné
aerostato	aeróstato
afrodisiaco	afrodisíaco
electromancía	electromancia
alérgeno	alergeno
alveolo	alvéolo
amoniaco	amoníaco
anemona	anémona
auréola	aureola
austriaco	austríaco
balaústre	balaustre
bereber	beréber
bímano	bimano
bustrofedon	bustrófedon
cántiga	cantiga
cardiaco	cardíaco
ceromancía	ceromancia
ciclope	cíclope
cleptomaniaco	cleptomaníaco
coctel	cóctel
conclave	cónclave
chofer	chófer
demoniaco	demoníaco
dínamo	dinamo
dionisiaco	dionisíaco
egida	égida
elefancia	elefancía
elegiaco	elegíaco
elíxir	elixir

endosmosis	endósmosis
exégesis	exegesis
exégeta	exegeta
exosmosis	exósmosis
farrago	fárrago
frijol*	fríjol
futbol	fútbol
geomancía	geomancia
gladiolo	gladíolo
gráfila	grafila
helespontiaco	helespontíaco
hipocondriaco	hipocondríaco
homeostasis	homeóstasis
íbero	ibero
ícono	icono
isobara	isóbara
medula	médula
metempsicosis	metempsícosis
métopa	metopa
olimpíada	olimpiada
omoplato	omóplato
osmosis	ósmosis
pábilo	pabilo
paradisiaco	paradisíaco
pelicano	pelícano
pénsil	pensil
pentágrama	pentagrama
periodo	período
piromancía	piromancia
policiaco	policíaco
polícromo	policromo
poliglota	políglota
réptil	reptil
reúma	reuma
rizofito	rizófito
sanscrito	sánscrito
sicómoro	sicomoro
termóstato	termostato
torticolis	tortícolis
tríglifo	triglifo
Zodíaco	Zodiaco

*   Las palabras con asterisco son americanismos.

Palabras de acentuación incorrecta

Con frecuencia, pronunciamos palabras con el acento fonético situado incorrectamente. Los casos más generales en los que se incurre en este tipo de incorrección son los siguientes:

Incorrecto	Correcto
accesit	accésit
acrobacía	acrobacia
adefagía	adefagia
aerodromo	aeródromo
afono	áfono
agacé*	agace
agnusdei	agnusdéi
ahinco	ahínco
aimará*	aimara
alcalí	álcali
alcánfor	alcanfor
álfil	alfil
aljebana	aljébana
alguién	alguien
almoravide	almorávide
anágrama	anagrama
anecdota	anécdota
antigas	antigás
antilogia	antilogía
antonomía	antinomia
antitesis	antítesis
antropofagía	antropofagia
apoplejia	apoplejía
ápud	apud
arcade	árcade
árdido	ardido
Areusa	Areúsa
Arístipo	Aristipo
asímismo	asimismo
ástil	astil
Ataulfo	Ataúlfo
áuriga	auriga

ávaro	avaro
balompie	balompié
beisbol	béisbol
bélitre	belitre
biceps	bíceps
bilbaino	bilbaíno
biósfera	biosfera
boína	boina
boreas	bóreas
bronconeumonia	bronconeumonía
buho	búho
buído	buido
cábila	cabila
caliga	cáliga
carácteres	caracteres
cardiógrama	cardiograma
casuísta	casuista
catalisis	catálisis
catodo	cátodo
Cátulo	Catulo
cénit	cenit
centígramo	centigramo
centílitro	centilitro
centimetro	centímetro
chiclé	chicle
climax	clímax
clorófila	clorofila
condor	cóndor
confiteor	confíteor
cónsola	consola
crisolito	crisólito
cruor	crúor
cuádriga	cuadriga
cuentahilos	cuentahílos
decágramo	decagramo
decálitro	decalitro
decametro	decámetro
décano	decano
decígramo	decigramo
decílitro	decilitro

decimetro	decímetro
décimotercero	decimotercero
delirium tremens	delírium trémens
dialisis	diálisis
disenteria	disentería
electrolisis	electrólisis
electrolito	electrólito
elefantíasis	elefantiasis
élite	elite
endócrino	endocrino
epíglotis	epiglotis
epigono	epígono
epígrama	epigrama
epilepsia	epilepsia
epizootía	epizootia
épodo	epodo
erúdito	erudito
escolex	escólex
especimen	espécimen
espúrio	espurio
estilobato	estilóbato
estratósfera	estratosfera
etiope	etíope
expédito	expedito
feretro	féretro
feucho	feúcho
fluor	flúor
forceps	fórceps
frijol (en América)	fríjol
futil	fútil
geríatria	geriatría
gnomón	gnomon
grágea	gragea
grimpola	grímpola
gumia	gumía
habeas corpus	hábeas corpus
habitat	hábitat
hectógramo	hectogramo
hectólitro	hectolitro
hectometro	hectómetro

heroina	heroína
hidrolisis	hidrólisis
hidrocefalía	hidrocefalia
hidróxilo	hidroxilo
hiocondria	hipocondría
hipógrifo	hipogrifo
homilia	homilía
hóstil	hostil
íbais	ibais
ibidem	ibídem
ícono	icono
íconoclasta	iconoclasta
idem	ídem
interín	ínterin
intérvalo	intervalo
item	ítem
játib	jatib
jesuíta	jesuita
junior	júnior
kaiser	káiser
karate	kárate
kilógramo	kilogramo
kilólitro	kilolitro
kilometro	kilómetro
kirieleison	kirieleisón
laringoscopía	laringoscopia
latex	látex
levogiro	levógiro
líbido	libido
litósfera	litosfera
lóriga	loriga
macrocefalía	macrocefalia
magnetofono	magnetófono
mámpara	mampara
manícura(o)	manicura(o)
mastil	mástil
mauser	máuser
méndigo	mendigo
metalurgía	metalurgia
metamórfosis	metamorfosis

milíbar	milibar
milígramo	miligramo
milílitro	mililitro
milimetro	milímetro
míope	miope
miriada	miríada
miriágramo	miriagramo
miriálitro	mirialitro
miriametro	miriámetro
mohino	mohíno
monócromo	monocromo
monodía	monodia
monógrama	monograma
mosen	mosén
nádir	nadir
naguatle	náguatle
nailón	nailon
narguilé	narguile
necrologia	necrología
necroscopía	necroscopia
neon	neón
neumonia	neumonía
nictalopia	nictalopía
nilon	nilón
Nóbel	Nobel
nominatim	nominátim
noumeno	noúmeno
óboe	oboe
óleoducto	oleoducto
ópimo	opimo
palindromo	palíndromo
pápiro	papiro
paralelógramo	paralelogramo
paralisis	parálisis
Parmeno	Pármeno
patina	pátina
pécari	pecarí
pedíatra	pediatra
pedícuro	pedicuro
peonia	peonía

per capita	per cápita
perifrasis	perífrasis
périto	perito
píamadre	piamadre
piromano	pirómano
piroscafo	piróscafo
pitecantropo	pitecántropo
planctón	plancton
podíatra	podiatra
podium	pódium o podio
poliester	poliéster
poliglota	políglota
polifono	polífono
popurri	popurrí
portland	pórtland
Praxiteles	Praxíteles
pristino	prístino
propíleo	propileo
psícosis	psicosis
psiquíatria	psiquiatría
púpitre	pupitre
¡quiá!	¡quia!
quidam	quídam
quilógramo	quilogramo
quilólitro	quilolitro
quilometro	quilómetro
quorum	quórum
rádar	radar
radiometro	radiómetro
radioscopía	radioscopia
reometro	reómetro
reostato	reóstato
requiem	réquiem
retahila	retahíla
reune, reuno	reúne, reúno
Río de Janeiro	Rio de Janeiro
sábelotodo	sabelotodo
Sáhara	Sahara
sánalotodo	sanalotodo
sanscrito	sánscrito

sauco	saúco
saxifraga	saxífraga
Seul	Seúl
sién	sien
síguemepollo	siguemepollo
sinístrorsum	sinistrórsum
sinodo	sínodo
sóviet	soviet
supremacia	supremacía
sútil	sutil
tactil	táctil
tahur	tahúr
tandem	tándem
tedeum	tedéum
telégrama	telegrama
teurgia	teúrgia
teurgo	teúrgo
Tiber	Tíber
Tibet	Tíbet
tíovivo	tiovivo
Tokío	Tokio
totem	tótem
triceps	tríceps
tumido	túmido
vademecum	vademécum
vahido	vahído
ventriloquía	ventriloquia
vesanía	vesania
vibrafón	vibráfono
vitríolo	vitriolo
vizcaino	vizcaíno
volfram	wólfram o volframio
xenon	xenón
xerofilo	xerófilo
xilofón	xilófono
Yusuf	Yúsuf
záfiro	zafiro
zahina	zahína
zahurda	zahúrda
zaíno	zaino

zámpalopresto   zampalopresto
zejel   zéjel
zénit   zenit

*   Las palabras con asterisco son americanismos.

Uso correcto de las letras

Ya hemos hablado de los desajustes que se producen muchas veces entre los fonemas de las palabras y las letras con que tratamos de representarlos. ¿Son totalmente arbitrarios? ¿A qué se deben? ¿Cuáles son?

A lo largo de los siglos que lleva de existencia nuestra lengua —trece aproximadamente— sus fonemas no han permanecido inalterables: algunos se fueron confundiendo con otros parecidos y acabaron identificándose totalmente con ellos; otros fueron modificando paulatinamente su articulación y terminaron cambiándola por otra distinta; otros desaparecieron.

Todos estos cambios se experimentaron a través de un proceso lento, sin que los hablantes apenas tuvieran conciencia de ellos. Así llegó un día en que estas mutaciones afectaron a la representatividad de las letras: una grafía que transcribía un determinado fonema representó a partir de un momento dado otro fonema distinto que tal vez se confundía o identificaba con otro que ya tenía su propia letra.

Estas aparentes incongruencias tenían que resolverse y las soluciones llegaron unas veces por el buen hacer y el sentido común de la **Real Academia Española de la Lengua** y de las personas cultas, que decidieron elaborar unas normas gráficas —**ortográficas**— más sencillas y simples, que eliminaron las grafías confusas y continuadas, más conformes con la realidad de los sonidos. Otras veces, sin embargo, esto no se consiguió y se mantuvieron algunas grafías más complicadas, porque se atendieron otros factores —sobre todo etimológicos— alejados de la pronunciación de las palabras.

De entre las distintas tendencias que han propulsado la aplicación de las

reglas ortográficas para el uso correcto de las letras hemos de destacar dos: la **etimológica** y la **fonética**.

Según la **tendencia etimológica**, el español, como lengua romance derivada del latín, debería mantener las grafías procedentes de la lengua madre, y así justifica la **h** de la palabra *hombre*, que procede del latín *hominem*, que no se pronuncia; o la distinción entre **b** y **v** en *labio*, (del latín *labrum*), y *nave*, (que procede de *navem*), inexistente en el sistema fonológico del castellano actual.

La **tendencia fonética** se muestra partidaria de ajustar la grafía a la pronunciación y, por tanto, no aceptaría el uso de letras inútiles, como es el caso de la **h**, que no se pronuncia; y por otra parte, defiende el uso de una sola letra en los casos en que haya más de una para representar un mismo sonido, como ocurre con las letras **g** y **j** o **c** y **z** en algunos casos: *genio*, *gente*, *jinete*, *jocoso*, que se escribirían con **j**, o *cesto*, *cimiento, cazo* y *zanco* que deberían escribirse con **z**.

A pesar de todo ello, la normativa actual es una síntesis de ambas tendencias y es la que exponemos a continuación.

Uso de la B y la V

Hay lenguas que en la pronunciación distinguen perfectamente los sonidos /b/ y /v/. Así ocurre, por ejemplo, en el francés, que establece, claramente la diferencia entre la **b** bilabial de *beaucoup* (mucho) y la **v** labiodental de *veau* (becerro). En cambio, en nuestro idioma los signos consonánticos **b** y **v** y en menor medida **w**, —porque apenas hay palabras en castellano que se escriban con esta letra—, se confunden fácilmente en la escritura, puesto que en la actualidad, no representan fonemas distintos, sino un fonema único, de articulación bilabial sonora. Por lo tanto, la pronunciación correcta de ambas letras exige que articulemos de la misma forma la **b** de *abuelo* y *boca* y la **v** de *invierno, verdad* y *vino*.

No ocurría así en estados anteriores de nuestra lengua, pues existían en el español dos fonemas, el bilabial oclusivo y el bilabial fricativo, que se correspondían respectivamente con las letras **b** y **v**; por lo tanto había que diferenciarlas en la escritura. Ya en el siglo XVI desaparecieron las diferencias de sonido entre **b** y **v** en el castellano correcto, pero, curiosamente, se siguieron manteniendo en la escritura ambas letras, hecho que tampoco fue modificado en la **Ortografía** que publicó la Real Academia Española en el siglo XVIII, después de su fundación.

Así pues, hoy en día, ambas letras siguen vigentes para representar únicamente la forma bilabial oclusiva /b/. La articulación bilabial fricativa ha desaparecido de nuestra lengua. Sin embargo, en algunas zonas bilingües, por influencia de la otra lengua hablada allí, la distinción en la pronunciación de ambos sonidos se ha seguido manteniendo e incluso es frecuente la articulación labiodental de la **v** —acercando su pronunciación y sonido al de la

f—. Ello se debe a una falsa idea de perfección, que no es sino amaneramiento.

También en la actualidad existe la tendencia a la desaparición de la **b** cuando va seguida de **s** y consonante: *suscripción, sustancia, sustantivo*. Si en algunos casos, como en los ejemplos anteriores, se admite, no ocurre lo mismo en otros: *absceso, abstener, etc.*

A continuación presentamos las reglas ortográficas que rigen el uso de ambas letras.

Se escriben con B:

1. **Todas las palabras en las que el sonido b sigue a la m:**

ambage	bambalina	embarazo	imbécil
ámbar	bambú	embarcar	imbuir
ambición	cambalache	embate	lambucia
ambiente	cambiar	embeleso	limbo
ambiguo	deambular	gamba	preámbulo
ámbito	embajada	gambusino	recambio
ambos	embalse	hamburguesa	zambullirse

2. **Las palabras que comienzan por los prefijos ab, abs, ob, obs y sub:**

abdicación	ábside	objeto	obstinar
abdicar	absolución	obsceno	obstrucción
abdomen	absoluto	obscuridad	obtención
abdominal	absolver	obscuro	obtener
abducción	absorber	obsequiar	obturar
abductor	absorto	obsequio	obtuso
abjurar	abstemio	observar	obvio
abnegación	abstersivo	observación	subacuático
abnegado	abstinencia	obsesión	subalterno
abnegar	abstracto	obsidiana	subcutáneo
absceso	abstraer	obstáculo	submarino
abscisa	abstruso	obstante	subsidio
abscisión	absurdo	obstar	subteniente
absenta	obcecar	obstetricia	subterráneo
absentismo	obedecer	obstinación	subversivo

Se exceptúan de esta regla las siguientes palabras, que se escriben con p en lugar de b:

aptar	opción	optativo	optimismo
áptero	opcional	óptica	optimista
apteza	optación	óptico	optimizar
aptitud	optante	optimación	óptimo
apto	optar	optimar	optómetro

Existen también palabras que admiten doble ortografía y que, optativamente, pueden escribirse con b o sin ella:

obscuramente	oscuramente	substancioso	sustancioso
obscurantismo	oscurantismo	substantivación	sustantivación
obscurantista	oscurantista	substantivamente	sustantivamente
obscurecer	oscurecer	substantivar	sustantivar
obscurecimiento	oscurecimiento	substantividad	sustantividad
obscuridad	oscuridad	substantivo	sustantivo
obscuro	oscuro	substitución	sustitución
subscribir	suscribir	substituible	sustituible
subscripción	suscripción	substituir	sustituir
subscrito	suscrito	substitutivo	sustitutivo
subscriptor	suscriptor	substituto	sustituto
substancia	sustancia	substracción	sustracción
substanciación	sustanciación	substraendo	sustraendo
substancial	sustancial	substraer	sustraer
substanciar	sustanciar	substrato	sustrato

Sólo admiten la forma sin b las palabras siguientes:

susceptibilidad	suspendido	suspirar	sustentador
susceptible	suspensión	suspiro	sustentamiento
suscitar	suspenso	sustentable	sustentante
suspecto	suspicacia	sustentación	sustentar
suspender	suspicaz	sustentáculo	sustento

3. **Las palabras en las cuales el sonido b sigue a las sílabas inciales al y ar:**

alba	albarán	arbitral	arboleda
albacea	albor	arbitrio	arborescente
albañil	alboroto	árbitro	arbusto
albahaca	albergue	arbitrariedad	albano
albañal	albornoz	arbolado	arbotante

Se exceptúan de esta regla:

Álvaro, alvear, alvéolo, álveo, arvejo, arvejón, arvense y sus derivados.

4. **Las palabras que llevan los sonidos bu, bur y bus:**

abuelo	buche	burgo	cabuya
abulia	bueno	burgués	cabuyera
aburrir	buey	buril	cambullón
abusar	búfalo	burla	carburo
abuso	bufanda	buró	fábula
babucha	bujía	burócrata	Jabugo
babujal	bula	burro	lóbulo
barbudo	buñuelo	bursátil	mandíbula
bucal	buque	busca	patíbulo
bucanero	burbuja	busilis	tabular
bucear	burdo	busto	taburete
bucle	bureo	butaca	vestíbulo

Se exceptúan de esta regla las palabras siguientes:

avutarda, bravura, párvulo, válvula, vuelo, vuelta, vuecencia, vuelapié, vuelco, vuestra merced, vuestro, vulgar, vulgo, vulnerar, vulpeja, vulva.

5. **Las palabras que empiezan por las sílabas ca, ce, co, cu, go, gu, ha, he, hi, ja, ju y nu, seguidas del sonido b:**

cábala	cebollino	habano	jabón
cabalgar	cobaya	hábito	jubilar
caballo	cubierta	hábil	jubilación
caballero	cubilete	habitación	jubilado
cabello	cubismo	hebilla	jubilar
cabeza	cubista	hibernación	jubileo
cebada	cubo	híbrido	júbilo
cebar	gobierno	jabalí	nubarrón
cebo	gubernamental	jabato	nube
cebolla	haba	jabega	núbil

Se exceptúan de esta regla las palabras:

cava, cavador, cavar, caverna, cavernícola, cavero, caveto, caviar, cavicornio, cavidad, cavilar, covacha, Covadonga, covanilla, hevea, hevicultor, juvenil, juventud.

6. **Los sonidos lab y lob al principio de palabra:**

lábaro	*laborable*	*laborista*	*lobero*
labe	*laboral*	*labradío*	*lobezno*
laberinto	*laborista*	*labrado*	*lobina*
labia	*laborar*	*labrador*	*lobisón*
labiado	*laboratorio*	*labrandera*	*lobo*
labial	*laborear*	*labrantío*	*lóbrego*
lábil	*laboreo*	*labrar*	*lobreguez*
labio	*laborío*	*lobanillo*	*lobulado*
labioso	*laborioso*	*lobarro*	*lóbulo*
labor	*laborismo*	*lobato*	*lobuno*

Se exceptúan las palabras:

lava, lavabo, lavanda, lavajo, lavanco, lavar, lavativa, lavatorio, lavazas.

7. **Los sonidos trab, treb, trib y turb al principio de palabra:**

traba	*trabea*	*tribología*	*turbante*
trabadero	*trabilla*	*tribu*	*turbar*
trabado	*trabucador*	*tribulación*	*turbera*
trabadura	*trabucar*	*tribulanza*	*turbia*
trabajador	*trabuco*	*tribuna*	*túrbido*
trabajar	*trabuquete*	*tribunado*	*turbiedad*
trabajo	*treballa*	*tribunal*	*turbieza*
trabajoso	*trébede*	*tribuno*	*turbina*
trabalenguas	*trebejar*	*tributar*	*turbino*
trabamiento	*trebejo*	*tributario*	*turbinto*
trabanco	*trebejuelo*	*tributo*	*turbio*
trabar	*trebentina*	*turba*	*turbo*
trabazón	*trébol*	*turbación*	*turbulencia*
trabe	*tribal*	*turbamulta*	*turbulento*

Se exceptúan las siguientes palabras:

traversa, través, travesaño, travesar, travesear, travesero, travesía, travesío, travestido, travestir, travesura, traviesa, travieso, treviño, trivial, trivialidad, trivializar.

8. **Las palabras en las que el sonido b sigue a la sílaba inicial son:**

esbarar	esbatimentar	esbinzar	esborregar
esbardo	esbatimento	esbirro	esbozar
esbarizar	esbeltez	esblandecer	esbozo
ésbate	esbelteza	esblandir	esbrencar
esbatimentante	esbelto	esblencar	esbronce

Se exceptúan:

esvarar, esvarón, esvástica y esviaje.

9. **Las palabras en las que el sonido b sigue a las sílabas iniciales ra, ri, ro, ru, sa, se, si, so, su, ta, te, ti, to, tu, tre, tri, tur y ur:**

raba	robustez	sobaco	tribal
rabadán	rúbeo	soberano	tribu
rabadilla	rubeola	soberbia	tribulación
rabal	rubí	sobornar	tribuna
rábano	rubicundo	subasta	tribunal
rabel	rubidio	subida	tribuno
rabia	rubio	subir	tributar
rabiar	rublo	subordinar	tributo
rabino	sábalo	tabaco	turba
rabo	sábana	tábano	turbación
riba	sabana	taberna	turbamulta
ribera (orilla)	sabatino	tabique	turbio
ribereño	sabiduría	tibe*	turbulento
ribete	sabio	tibio	urbanidad
robar	sabor	tiburón	urbanismo
robín	sebo	tobillo	urbanización
robo	seborrea	tubérculo	urbanizar
robot	sebucán*	tubo	urbano
robótica	sibarita	tubería	urbe
robustecer	sibilino	trébol	

* Las palabras con asterisco son americanismos.

Se exceptúan de esta regla:

rival, rivera (arroyo), savia, severidad, severo, sevicia, seviche, Sevilla, soviet y soviético.

10. Los prefijos bi-, bis-, biz-(dos), bibl-(libro), bio-(vida) y bene-(bien):

bíceps	bifronte	biznieto	bioelemento
bicicleta	bigamia	bibliofilia	biografía
biciclo	bimano	bibliografía	biógrafo
bicolor	bimestre	Biblia	biosfera
bicornio	bióxido	bíblico	biopsia
bicuadrado	bípedo	bibliófilo	benefactor
bicúspide	bisabuelo	bibliógrafo	beneficio
bienal	bisectriz	bibliología	benéfico
bifásico	bisiesto	bibliomanía	benemérito
bífido	bisnieto	biblioteca	beneplácito
bifocal	bizcocho	biodegradable	benévolo

11. Las terminaciones -bundo, -bunda, -bil, -ble y -bilidad:

errabundo	débil	temible	notabilidad
meditabundo	núbil	visible	posibilidad
moribundo	lábil	amabilidad	probabilidad
nauseabundo	amable	estabilidad	receptibilidad
pudibunda	contable	flexibilidad	responsabilidad
tremebunda	posible	habilidad	sensibilidad
vagabundo	probable	inestabilidad	sociabilidad
hábil	responsable	inmutabilidad	visibilidad

Se exceptúan de esta regla:

civilidad, móvil, movilidad y sus derivados y compuestos.

12. Los verbos cuyo infinitivo termina en -ber, -bir y -buir:

absorber	saber	inhibir	subir
beber	sorber	inscribir	transcribir
caber	escribir	imbuir	atribuir
deber	concebir	percibir	contribuir
embeber	describir	prohibir	distribuir
haber	exhibir	recibir	retribuir

Se exceptúan de esta regla algunos verbos y sus respectivos compuestos:

absolver, atrever, disolver, llover, mover, precaver, resolver, ver, volver, hervir, servir, vivir.

13. **Las terminaciones -aba, -abas, -ábamos, -abais, -aban del pretérito imperfecto de indicativo de los verbos de la primera conjugación y también el pretérito imperfecto de indicativo del verbo ir:**

amaba	estudiabas	llamábamos	retozabais
amargaba	hablabas	llorábamos	rezabais
bordaba	hartabas	llegábamos	rozaban
caminaba	ibas	manejábamos	tomaban
cantaba	intentabas	odiabais	trazaban
daba	jadeabas	pasabais	silbaban

14. **Las palabras en las que el sonido b precede a otra consonante o está al final:**

abdomen	bracear	cabra	objeto
abrir	brama	cabriola	oblea
abstenerse	bravo	club	obligación
abstracción	brazo	cobrar	obsequiar
asombro	brisa	cobre	obstruir
blandir	broma	cubrir	obtuso
blando	brújula	Jacob	obvio
blindar	bruma	Job	problema
blusa	cable	libro	tablero

15. **Todas las palabras compuestas y derivadas de las que se escriben con b:**

abad:	*abadengo, abadesa, abadía, abadiato...*
abeja:	*abejar, abejarrón, abejero, abejón...*
abono:	*abonado, abonador, abonable, abonar...*
blando:	*blandura, blandengue, reblandecer, ablandar...*

boca: *bocanada, bocado, bocazas, bocadito, bocadillo...*
broche: *abrochador, abrochadura, abrochar...*
bueno: *bonanza, bondad, bondadoso, buenaventura...*
hombre: *hombrada, hombrear, hombría, hombruno...*
labor: *laborable, laboral, laborar, laboratorio, laboreo...*
obligar: *obligación, obligacionista, obligado, obligatoriamente...*
obscuro: *obscurecer, obscurecimiento, obscuridad, obscurantismo...*
pobre: *pobremente, pobretear, pobretón, pobreza...*
rabia: *rabioso, rabiar, rabieta...*
sabio: *sabiduría, saber, sabiamente, sabelotodo...*
sombra: *sombrilla, sombreado, sombrajo, ensombrecer...*
tabaco: *tabacalera, tabaquera, tabaquismo...*
tabla: *tablado, tablear, tablero, tablilla, tablón...*

Se escriben con V:

1. **Las palabras que comienzan con las sílabas cal-, cer-, cla-, con- y cur- seguidas del fonema /b/:**

calva	cerveza	clavel	convenio
calvario	cervecería	clavería	convento
calvicie	cérvido	clavicordio	curva
calvinismo	cerviz	clavo	curvilíneo
calvo	clavar	convalecencia	curvímetro
Cervantes	clave	convencional	curvo

Se exceptúan de esta regla:

cerbatana y cerbillera.

2. **Las palabras que comienzan con la sílaba di- seguida del fonema /b/:**

divagar	diverso	divieso	divo
diván	divertir	divinidad	divorcio
divergente	dividir	divisa	divulgar
diva	divinizar	divisor	diversificar

Se exceptúan de esta regla:

dibujante, dibujar y dibujo.

3. **Las palabras que empiezan con las sílabas eva-, eve-, evi- y evo- seguidas del fonema /b/:**

Eva	evangelizar	eventual	evocación
evacuar	evaporar	evidencia	evocar
evaluar	evasión	eviscerar	evolución
evanescente	evasor	evitar	evolucionismo
evangelio	evento	eviterno	evónimo

Se exceptúan de la regla:

ebanista, ebanistería, ébano, ebenáceo, ebionita, ebonita y eborario.

4. **Las palabras que comienzan con las sílabas jo-, le-, mal-, y mo-** seguidas del fonema /b/:

joven	levantar	malvado	movedizo
jovenado	levante	malvasía	mover
jovial	levita	malvavisco	móvil
leva	malva	malversación	movilizar
levadura	malváceo	malversar	movimiento

Se exceptúa de esta regla:

jobo, lebaniego, lebeche, lebrada, lebrato, lebrel, lebrero, lebrijano, lebrillo, lebruno, malbaratar, mobiliario, moblaje y moblar.

5. **Las palabras que empiezan por las sílabas lla-, lle-, llo-, y llu-** seguidas del fonema /b/:

llave	lleva	llover	lluvia
llavero	llevar	llovedera	lluvial
llavín	llevadero	llovizna	lluvioso

6. **Las palabras que comienzan con las sílabas na-, ne-, ni-, y no-** seguidas del fonema /b/:

nava	navidad	neviscar	novel
navaja	navideño	nivel	novelar
navajero	naviero	nivelado	novelería
navajudo	navío	nivelar	novelista
naval	nervadura	níveo	noveno
navarro	nervio	nirvoso	novena
nave	nervosidad	novatada	noventón
navegable	nervudo	novato	novia
navegación	nevar	novecientos	noviazgo
navegar	nevasca	novedad	novilunio
naveta	nevazón	novedoso	novísimo

Se exceptúan de esta regla:

naba, nabab, nabar, nabí, nabicol, nabiza, naborí, nabo, Nabucodonosor, nebladura, neblí, neblina, nebular, nebuloso, nebulosa, Nibelungo, Nobel, nobiliario, nobilísmo, noble, nobleza y noblote.

7. **Las palabras que comienzan con las sílabas pa-, par-, pol-, pre-, pri- y pro- seguidas del fonema /b/:**

pava	parvedad	polvoriento	provecto
pavana	parvidad	polvorilla	provecho
pavero	parvo	polvorín	proverbio
pavesa	parvulario	polvorón	providencia
pavimento	parvulez	prevalecer	próvido
pávido	párvulo	prevaricar	provincial
pavo	polvareda	prevención	provisión
pavón	polvera	preventiva	provisional
pavonearse	polvillo	previo	provisorio
pavoroso	polvo	privilegio	provocar
parva	pólvora	privacidad	privanza

Se exceptúan de esta regla:

pabellón, pabilo, Pablo, pábulo, prebenda, preboste, probable, probabilidad, probar, probeta, probo, proboscídeo y problema.

8. **Las palabras que comienzan con las sílabas sal-, se-, sel-, ser-, sil- y sol- seguidas del fonema /b/:**

salva	salve	selvatiquez	servir
salvación	salvedad	selvoso	servitud
salvadera	salvia	serventesio	servofreno
salvado	salvo	servicial	silva
salvador	salvoconducto	servicio	silvestre
salvadoreño	severo	servidor	silvícola
salvaguarda	sevicia	servidumbre	silvoso
salvaje	Sevilla	servil	solvencia
salvajismo	selva	servilleta	solventar
salvamento	selvaje	servilletero	solvente
salvavidas	selvático	serviola	solver

Se exceptúan de esta regla:

salbanda, sebáceo, Sebastián, sebe, sebo, seborrea, seboso, serba, serbal, silbar y sus derivados.

9. **En las palabras que comienzan por villa-:**

villa	villanaje	villanía	Villanueva
Villadiego	villancico	villano	villar
villaje	villanesco	villanovés	villazgo

Se exceptúa de esta regla:

billa, billar, billarda y billarista.

10. **En las palabras que comienzan por los prefijos vice-, vi- o viz-, que indican título o dignidad:**

vicealmirante	vicegobernador	vicesecretaría	virrey
vicecanciller	vicepresidente	virreinal	vizcondado
vicecónsul	vicerrector	virreino	vizconde

11. **En las sílabas ven- y ver- al principio de palabra:**

venablo	Venezuela	ver	verdura
venado	venganza	vera	vereda
venal	venia	veracidad	vergel
vencejo	venta	verano	vergonzante
vencer	ventaja	veraz	vergüenza
venda	ventalle	verbal	vericueto
vendaval	ventana	verbena	verismo
vender	ventilar	verbo	verme
vendimia	ventisca	verdad	vermiforme
veneno	ventrílocuo	verde	verónica
venerar	ventura	verdugo	verosímil

Se exceptúan de esta regla:

benceno, bencina, bendecir, bendición, bendito, benedictino, benefactor, beneficio, benemérito, beneplácito, benévolo, bengala, benigno, benjamín, benjuí, bentónico, benzol, berberisco, berbiquí, beréber, berenjena, bergante, bergantín, berilo, berlanga, berlina, bermejo, bermellón, berrear, berrenchín, berrido, berrinche, berro, berrocal, berroqueña, berza y otras menos usadas.

12. **En las palabras terminadas en -ava, -ave, -avo, -eva, -eve, -evo, -iva, -ive e -ivo:**

cava	esclavo	comitiva	declive
octava	cueva	decisiva	inclusive
clave	nueva	intuitiva	activo
cónclave	eslavo	negativa	festivo
cóncavo	longevo	tentativa	fugitivo

Se exceptúan de esta regla:

ameba, árabe, arriba, cabe, cabo, cebo, criba, estriba, estribo, lavabo, nabo, pibe*, rabo, sebo y las terminaciones en -aba del pretérito imperfecto de indicativo de los verbos de la primera conjugación.

* Las palabras con asterisco son americanismos.

13. **En las palabras terminadas en -ívora, -ívoro, -vira y -viro:**

carnívora	insectívoro	Elvira	fungívoro
herbívora	omnívoro	decenviro	triunviro

Se exceptúan de esta regla:

víbora.

14. **En el verbo venir y sus compuestos:**

avenir	convenir	intervenir	prevenir
contravenir	desprevenir	porvenir	sobrevenir

15. **En los verbos cuyo infinitivo termina en -ervar y -olver:**

conservar	preservar	absolver	revolver
enervar	reservar	resolver	volver

Se exceptúan de esta regla:

desherbar y exacerbar.

16. En todas las personas del pretérito indefinido del modo indicativo y del pretérito y futuro imperfecto del modo subjuntivo de los verbos:

andar

pretérito indefinido (indicativo)
− *anduve, anduviste, anduvo, anduvimos, anduvisteis, anduvieron.*
pretérito (subjuntivo)
− *anduviera-anduviese, anduvieras-anduvieses, anduviera-anduviese, anduviéramos-anduviésemos, anduvierais-anduvieseis, anduvieran-anduviesen.*
futuro imperfecto (subjuntivo)
− *anduviere, anduvieres, anduviere, anduviéremos, anduviereis, aduvieren.*

estar

pretérito indefinido (indicativo)
− *estuve, estuviste, estuvo, estuvimos, estuvisteis, estuvieron.*
pretérito (subjutivo)
− *estuviera-iese, estuvieras-ieses, estuviera-iese, estuviéramos-iésemos, estuvierais-ieseis, estuvieran-iesen.*
futuro imperfecto (subjuntivo)
− *estuviere, estuvieres, estuviere, estuviéremos, estuviereis, estuvieren.*

tener

pretérito indefinido (indicativo)
− *tuve, tuviste, tuvo, tuvimos, tuvisteis, tuvieron.*
pretérito (subjetivo)
− *tuviera-iese, tuvieras-ieses, tuviera-iese, tuviéramos-iésemos, tuvierais-ieseis, tuvieran-iesen.*
futuro imperfecto (subjuntivo)
− *tuviere, tuvieres, tuviere, tuviéremos, tuviereis, tuvieren.*

17. **En todas las personas del presente de indicativo, del presente de subjuntivo y del imperativo del verbo ir:**

presente de indicativo: *ve, vas, va, vamos, vais, van.*
presente de subjuntivo: *vaya, vayas, vaya, vayamos, vayáis, vayan.*
imperativo: *ve, vaya, vayamos, vayan.*

18. **También se escribe v detrás de b, d y n:**

obvio	*adverbio*	*conversación*	*invasor*
subvención	*adversario*	*convite*	*invento*
subversivo	*adversativo*	*envidia*	*investigar*
advenedizo	*convencimiento*	*envilecer*	*invierno*
adventicio	*convencional*	*envite*	*invitar*
adventista	*convento*	*invariable*	*involucrar*

Se exceptúan de esta regla algunos nombres de procedencia extranjera:

Canberra, Gutenberg y Hartzenbusch.

19. **Las palabras compuestas y derivadas de aquellas que se escriben con v:**

aventura: *aventurado, aventurar, aventurero...*
investigar: *investigable, investigación, investigador...*
levantar: *levantamiento, levantado, levantarse...*
leve: *levedad, levemente, levísimo...*
llevar: *conllevar, llevadero, sobrellevar...*
malversar: *malversador, malversación...*
mover: *movedizo, moverse, mueve...*
navío: *navegable, navegación, navegar...*
parva: *parvedad, parvificar, parvífico...*
prevenir: *prevenirse, prevención, preventivo...*
prever: *previsible, previsión, previsor, previsto...*
proveer: *proveedor, proveimiento, provisión, provisor...*
revisar: *revisable, revisión, revisor, revisoría...*
viento: *ventolera, ventoso, ventosidad...*

Homófonos de B y V *(ver homófonos en Glosario, pág. 277)*

Lista de palabras cuyo significado varía según se escriban con **b** o con **v**:

abal (fruto)	aval (garantía)
abalar (conducir, mover)	avalar (garantizar)
acerbo (áspero)	acervo (bienes)
albino (blanco)	alvino (relativo al bajo vientre)
baca (para equipajes)	vaca (animal)
bacante (de Baco)	vacante (que está libre)
bacía (de barbero)	vacía (no llena)
bacilo (microbio)	vacilo (de vacilar)
balido (voz del carnero)	valido (favorito)
balón (pelota)	valón (habitante de una región belga)
baqueta (varilla)	vaqueta (cuero curtido)
barita (mineral)	varita (palo delgado)
barón (título nobiliario)	varón (hombre)
basar (tomar base)	vasar (estante para vasos)
basca (desmayo)	vasca (vascuence)
basto (rudo)	vasto (amplio)
bate (de batear)	vate (poeta)
bello (hermoso)	vello (pelo)
bidente (de dos dientes)	vidente (que ve)
bienes (posesiones)	vienes (de venir)
billar (juego)	Villar (pueblo)
bobina (carrete)	bovina (de buey)
bolear (tirar bolas o bolos)	volear (golpear en el aire)
bota (calzado)	vota (de votar)
botar (saltar)	votar (emitir un voto)
bote (embarcación)	vote (de votar)
boto (romo)	voto (promesa, opinión)
cabe (de caber)	cave (de cavar)
cabo (extremo, graduación)	cavo (de cavar)
corbeta (nave)	corveta (pirueta)
hierba (césped)	hierva (de hervir)
nabal (de nabos)	naval (vocablo marítimo)
rebelar (sublevarse)	revelar (clarificar)
recabar (pedir)	recavar (volver a cavar)
sabia (inteligente)	savia (jugo)
tubo (pieza hueca)	tuvo (de tener)

Uso de la C, la Z y la S

La letra **c** ante **e**, **i** y la letra **z** ante **a**, **o**, **u** representan al mismo fonema interdental **/z/**, por lo cual, el uso de ambas letras no ofrece grandes dificultades. Sin embargo, en algunas zonas geográficas se convierte en una cuestión más compleja debido a dos fenómenos lingüísticos que pueden provocar confusión en el empleo de ambas grafías: el *seseo* y el *ceceo*. Los dos son el resultado de un complejo conjunto de cambios fonéticos sistemáticos que se han ido sucediendo en la lengua española a partir de los siglos XV y XVI.

El **seseo** es la pronunciación de la **z** o de la **c** ante **e**, **i**, como **s**; con lo cual el fonema **/z/** se identifica con el fonema **/s/**. Así, palabras como *taza* y *tasa*, *cazo* y *caso*, *cierra* y *sierra*, *cesión* y *sesión*, *cima* y *sima*, se convierten en homófonos al articularse las grafías **z** y **c** de *taza, cazo, cierra, cesión* y *cima* como **s** y provocan confusión.

Este es un defecto fonético que se halla generalizado por Andalucía – donde se originó–, por las Islas Canarias y por los países de Hispanoamérica, colonizados principalmente por andaluces, cuya forma de hablar les imprimió un sello especial, que pronto adquirió un tono andaluzado.

Hoy en día, el **seseo** se ha extendido tanto entre personas de habla culta como de habla popular y ha adquirido un auge creciente no sólo por el uso que hacen de él algunos ilustres hispanoamericanos, sino por la repercusión que tienen en algunos países de América Latina.

Otro caso distinto es el **ceceo**. Consiste en la pronunciación de la **s** igual a la de la **c** ante **e**, **i** o a la de la **z**, con lo cual el fonema **/s/** se identifica con el fonema /z/: *caza* en lugar de *casa*, *pozo* en lugar de *poso*, con lo cual la confusión entre palabras es también muy fácil y frecuente.

El **ceceo** se produce en una franja muy irregular del sur de Andalucía y está considerado un vulgarismo inaceptable que incluso suele emplearse como recurso caricaturesco. También se registran casos aislados de *ceceo* en algunos países de Hispanoamérica: Colombia, El Salvador, Nicaragua y Argentina.

Conviene recordar que en ambos casos –**seseo** y **ceceo**– no se ha experimentado ningún cambio en las reglas de pronunciación de la lengua española, sino tan sólo incumplimiento.

Después de lo dicho, creemos que será de gran utilidad conocer la diferencia entre los sonidos /z/ y /s/ para evitar muchas dudas ortográficas y también algunas confusiones semánticas, tales como *rosa* y *roza*, *serrar* y *cerrar*, *siervo* y *ciervo*, entre otras muchas. En este apartado vamos a establecer el uso correcto de cada una de esas letras.

Se escribe C:

1. Delante de e, i:

cacerola	cepo	cielo	cirio
cebada	cera	ciencia	cisterna
cebolla	complacer	ciento	conducir
celebrar	desfallecer	cifra	inciso
célula	embellecer	cine	prescindir
cena	proceso	circunferencia	reproducir

Se exceptúan de esta regla:

eczema, enzima (fermento), Ezequiel, Zebedeo, zéjel, zelandés, zendo, zenón, zepelín, zeta, zeugma, Zeus, zigzag y zipizape.

Dentro de esta regla, existen también palabras que pueden escribirse indistintamente con c o con z:

ácimo-ázimo	cenit-zenit	acimut-azimut	ceta-zeta
cedilla-zedilla	ceugma-zeugma	celandés-zelandés	cinc-zinc

2. En las palabras terminadas en -ácea, -áceo, -acia, -ancia, -ancio, -encia, -cia y -cio:

rosácea	vagancia	experiencia	recia
solanáceo	cansancio	diferencia	batracio
acacia	rancio	insolvencia	socio
aristrocacia	venancio	paciencia	sucio
ignorancia	advertencia	astucia	negocio
intemperancia	conciencia	caricia	precio

Se exceptúan de esta regla:

hortensia

y algunas palabras procedentes del griego:

amnesia, anestesia, eugenesia y eutanasia.

3. **En los verbos cuyo infinitivo termina en -ecer:**

acaecer	decrecer	establecer	mecer
acontecer	engrandecer	estremecer	palidecer
amanecer	enriquecer	fallecer	prevalecer
anochecer	entristecer	fortalecer	restablecer
aparecer	esclarecer	guarecer	reverdecer

4. **En los nombres de los verbos cuyo infinitivo termina en -ar:**

aceptación	de aceptar	formación	de formar
asociación	de asociar	peregrinación	de peregrinar
cavilación	de cavilar	perturbación	de perturbar
demostración	de demostrar	privación	de privar
emigración	de emigrar	remuneración	de remunerar

5. **En los nombres derivados de los verbos cuyo infinitivo termina en -izar:**

amortización	de amortizar	movilización	de movilizar
autorización	de autorizar	naturalización	de naturalizar
civilización	de civilizar	tamización	de tamizar
localización	de localizar	vocalización	de vocalizar

6. **Al final de sílaba ante c y t:**

accidente	instrucción	acto	dialecto
acción	lección	actor	inspector
colección	occidente	afecto	instructor
convicción	occipital	aspecto	lector
diccionario	perfección	conducto	producto
ficción	redacción	correcto	reducto
inspección	reducción	defecto	táctil

Se exceptúa de esta regla:

azteca.

Se escribe Z:

1. **Delante de a, o, u:**

alzar	panza	cazo	cazuela
azada	pereza	chorizo	cazurro
cabeza	retozar	perezoso	panzudo
calzado	zacatón	rezo	rezumar
calzador	zalamero	zodíaco	zueco
entereza	zamarra	zoncera	zulú
fuerza	zapato	zoológico	zumbido
izar	brazo	azud	zumo
loza	buzo	azufre	zurdo
mozárabe	cañonazo	bazucar	zurrar

2. **En el sufijo -azo en sus dos sentidos:**

Como aumentativo

animalazo	golpazo	madraza	pelmazo
buenazo	gripazo	morenazo	perrazo
exitazo	gustazo	padrazo	salivazo

Cuando significa consecuencia o golpe producido por el nombre primitivo:

arañazo	cañonazo	latigazo	porrazo
bastonazo	codazo	machetazo	sablazo
cabezazo	flechazo	manotazo	zarpazo

3. **En los apellidos españoles terminados en -ez:**

Álvarez	Galíndez	Iñíguez	Ordóñez
Bermúdez	Gálvez	Juárez	Páez
Díez	González	Laínez	Pérez
Diéguez	Gonzálvez	López	Ramírez
Domínguez	Hernández	Martínez	Rodríguez
Fernández	Ibáñez	Montálvez	Sánchez

119

4. **En la primera persona del singular del presente de indicativo y en todas las personas del presente de subjuntivo de los verbos cuyo infinitivo termina en -acer, -ecer, -ocer y -ucir:**

conduzco	de conducir	*fenezcan*	de fenecer
conozco	de conocer	*fortalezcáis*	de fortalecer
crezco	de crecer	*luzcan*	de lucir
empequeñezca	de empequeñecer	*nazcan*	de nacer
encalvezcan	de encalvecer	*produzcas*	de producir
encanezca	de encanecer	*reconozcáis*	de reconocer
envilezcan	de envilecer	*reduzcan*	de reducir
establezcamos	de establecer	*reluzca*	de relucir
fallezca	de fallecer	*renazcan*	de renacer

Nota:

La Real Academia Española admite la doble grafía **c** o **z** en las siguientes palabras, pero aconseja la grafía que en la lista aparece en primer lugar:

Recomendada	**Inusual**
acimut	*azimut*
ázimo	*ácimo*
cebra	*zebra*
cedilla	*zedilla*
cenit	*zenit*
cigoto	*zigoto*
cinc	*zinc*
eccema	*eczema*
neozelandés	*neocelándes*
zeta (zeda)	*ceta (ceda)*
zeugma	*ceugma*

Se escribe S:

1. En los nombres derivados de los verbos cuyo infinitivo termina en -der, -dir, -ter y -tir:

comprensión	de comprender	*comisión*	de cometer
pretensión	de pretender	*conversión*	de convertir
represión	de reprender	*discusión*	de discutir
suspensión	de suspender	*diversión*	de divertir
agresión	de agredir	*inversión*	de invertir
alusión	de aludir	*partición*	de partir
confusión	de confundir	*remisión*	de remitir
división	de dividir	*repercusión*	de repercutir

Se exceptúan de esta regla los nombres que conservan la d o la t del verbo:

competición	de competir	*rendición*	de rendir
fundición	de fundir	*repartición*	de repartir
medición	de medir	*repetición*	de repetir

2. En los nombres derivados de los verbos cuyo infinitivo termina en -sar:

confesión	de confesar	*precisión*	de precisar
dispersión	de dispersar	*procesión*	de procesar
expresión	de expresar	*profesión*	de profesar
revisión	de revisar	*progresión*	de progresar
regresión	de regresar	*tensión*	de tensar

Se exceptúan de esta regla los nombres que conservan la sílaba -sa- del verbo:

acusación	de acusar	*improvisación*	de improvisar
casación	de casar	*malversación*	de malversar
cesación	de cesar	*pulsación*	de pulsar
condensación	de condensar	*recusación*	de recusar
compensación	de compensar	*tasación*	de tasar
conversación	de conversar	*tergiversación*	de tergiversar

Parónimos de Z y S *(ver parónimos en Glosario, pág. 279)*

Las siguientes palabras pueden prestarse a confusión. Veamos sus diferentes grafías y significados.

azar (suerte)	asar (guisar)
bazar (tienda)	basar(asentar algo)
braza (forma de natación)	brasa (carbón encendido)
caza (deporte)	casa (hogar)
cazo (vasija)	caso (suceso)
corzo (animal)	corso (de Córcega)
maza (arma)	masa (materia)
pozo (hoyo)	poso (sedimento)
roza (acción de rozar)	rosa (flor)
zueco (zapato)	sueco (de Suecia)
zumo (líquido)	sumo (supremo)
taza (vasija pequeña)	tasa (medida)

Parónimos de C y S *(ver parónimos en Glosario, pág. 279)*

Lo mismo ocurre con las siguientes palabras según se escriban con **c** o con **s**.

acecinar (conservar carnes)	asesinar (matar)
acechanza (espionaje)	asechanza (engaño)
acedar (agriar)	asedar (suavizar)
bracero (peón)	brasero (aparato para dar calor)
cebo (comida para atraer animales)	sebo (grasa animal)
cegar (perder la vista)	segar (cortar hierba)
censual (perteneciente al censo)	sensual (sensorial)
cerrar (interceptar algo)	serrar (cortar con una sierra)
ceta (letra)	seta (hongo)
ciervo (animal)	siervo (esclavo)
cilicio (vestidura para penitencia)	silicio (sílice, mineral)
cima (parte más alta)	sima (cavidad profunda)
concejo (Ayuntamiento)	consejo (opinión)
cocer (cocinar)	coser (unir con hilo)
vocear (gritar)	vosear (tratar de vos)

Uso de la C, la K y la Q:

El sonido velar sordo correspondiente al fonema /k/ puede transcribirse en español con distintas letras.

Con la **c** ante las vocales **a**, **o**, **u**, delante de algunas consonantes y en unos pocos casos más: *casa, combinar, cuerpo, cloro, cráter, arácnido, acto, occidente*, etc.

Antiguamente la letra **c** se empleaba al principio de palabra delante de la **z** formando la grafía **cz** –que procedía del francés o del inglés– en la palabra *czar* y en sus derivados; pero posteriormente se suprimió y se simplificó quedando las formas actuales *zar, zarina*, etc., que son las únicas que admite la Real Academia de la Lengua.

Con la grafía **k** –de uso poco frecuente en nuestra lengua– en algunas palabras de diversa procedencia: *kantiano, káiser, kermés, kilociclo, kilovatio*, etc.

Con los grupos **qu** –la letra **q** no se emplea nunca si no va acompañada de la **u**, que no se pronuncia–: *querubín, quilla, alambique, boquiabierto, quien, quiste*.

Y, finalmente, con la grafía **ch** que antiguamente transcribía el sonido velar sordo oclusivo **/kh/**: *Christo*, procedente del griego clásico y también el fonema **/ĉ/**:*archivo*, que explica la pervivencia del prefijo *archi*: *archiduque, archipobre*. Esta grafía, como representación del sonido velar sordo */k/, fue* eliminada de la escritura, lo mismo que los grupos **ph** y **th**, que se utilizaban en palabras de origen griego, como *philosophia, theatro, theología*, etc., cuando en el siglo XVIII, la Real Academia publicó la **Ortografía**.

Sin embargo, sigue utilizándose al final de algunos topónimos y patronímicos de origen catalán: *Doménech, March, Poch, Vich*, alternando –aunque predominando– con la **c**: *Doménec, Marc, Poc, Vic*.

Para evitar dudas y confusiones, conviene, pues, establecer las reglas que fijen los casos en que debe emplearse cada una de las letras.

Uso de la C:

1. Se escribe c delante de las vocales a, o, u, en posición inicial o interior de palabra:

acabar	casco	costumbre	mecano
acanto	causa	cuerda	moco
alcuza	codo	cuesta	oculto
arco	cohibir	cuita	pecado
boca	colocar	culebra	peculiar
cabeza	color	cumbre	recoger
cabezal	comedor	curso	recuadro
caimán	comensal	curva	roca
cálido	comida	curvilíneo	secuela
cama	corazón	encubrir	socorrer
cambiar	cordón	escape	surco
camino	cordura	licor	tacón
camión	cosa	loco	tocar
carta	costa	locura	turco
casa	costal	macuto	vacuno

2. Detrás de vocal al final de sílabas inversas o mixtas, al principio, en interior o al final de palabra:

acné	eléctrico	octogenario	rector
actitud	factor	octógono	redactor
actividad	fructífero	octubre	reducto
acto	fucsia	pacto	rictus
activo	hectómetro	pectoral	secta
actor	Héctor	práctico	sectario
actual	ictericia	producto	sector
bacteria	invicto	productor	sectorial
conducta	lácteo	protector	táctil
deíctico	lectivo	proyecto	tacto
docto	lectura	pictórico	vector
doctor	octano	reactor	victoria
doctrina	octavilla	rectitud	victorioso
dúctil	octavo	recto	vivac

3. **Delante de las consonantes l y r:**

aclamar	clave	crisol	lucrativo
aclarar	clérigo	cristiano	macro
aclimatar	clero	cromo	mezcla
acre	clima	crudo	micra
acrimonia	concluir	decreto	oclusión
acróstico	concreto	escribir	ocre
ciclamen	cloro	escrúpulo	proclamar
ciclo	cráter	escrutar	reciclar
clamar	crema	incluir	reclamo
claro	crisantemo	lacra	recluso

Uso de la K:

Como ya se ha dicho, de las tres letras que en la actualidad se utilizan para transcribir el fonema /**k**/, la **k** es la que se usa en un menor número de palabras, a pesar de que la Real Academia ha aceptado algunas nuevas que, en su mayoría, pueden escribirse también con el grupo **qu**. Veamos a continuación cuáles son los casos en que podemos utilizar esta grafía.

1. **En los nombres de las unidades del sistema métrico decimal y de otros sistemas de cálculo y medida con el significado de mil:**

kiliárea	*kilociclo*	*kilohercio*	*kilopondio*
kilo	*kilográmetro*	*kilolitro*	*kilotón*
kilocaloría	*kilogramo*	*kilómetro*	*kilovatio*

Se recomienda la utilización de **k** sólo en las abreviaturas.

kg	*kl*	*km*	*kp*

2. **En los nombres de procedimientos terapéuticos cuya raíz procede del griego clásico y en sus derivados:**

kinesiología	*kinesiólogo*	*kinesiterapeuta*	*kinesioterapia*
kinesiológico	*kinesiterapia*	*kinesiterápico*	*kinesioterapeuta*

Todas estas palabras pueden escribirse también con **qu**.

3. **En las palabras extranjeras aceptadas por la Real Adacemia Española de la Lengua que se escriban con esta letra y en sus derivados:**

káiser	*kéfir*	*kirieleisón*	*kremlin*
kari	*kerigma*	*kivi*	*kremlinología*
kantiano	*kermes*	*klistrón*	*kremlinólogo*
kantismo	*kermés*	*krausismo*	*kril*
kárate	*kirie*	*krausista*	*kurdo*

4. **En las palabras extranjeras utilizadas en castellano en su forma original**, no recogidas en el Diccionario de la Real Academia Española, aunque algunas hayan sido castellanizadas convirtiendo la k en q:

kaki	karaoke	kayak	kripton
kamikace	katiuska	koala	kummel

Uso de la Q:

Se emplea en español siempre seguida de la **u**, formando la grafía **qu**, en los siguientes casos:

1. Cuando antecede a las vocales e, i, formando sílaba con ellas:

alambique	esqueleto	queso	quincho*
anarquía	esquimal	quiebracajete*	raquítico
boquiabierto	esquina	quilombo*	requiebro
boquilla	quebrazón*	quilla	séquito
buque	quechol*	quillay*	tequila
conquista	querendón*	química	toque
esqueje	querer	quincha*	toquilla

* Las palabras con asterisco son americanismos.

2. En algunas palabras o expresiones procedentes de latín o adoptadas recientemente de otras lenguas:

quantum	quasar	quid	quídam
quark	quáter	quid pro quo	quórum

Nota:

En las palabras con doble **cc**, la primera representa el fonema /**k**/ y la segunda el fonema /θ/.

A continuación presentamos dos listas con palabras cuya ortografía puede prestarse a error:

Con una sola c:

absolución	crispación	ilación	reacio
adición (suma)	dilación	inhalación	relación
afición	discreción	noción	solución
atrición	exhalación	objeción	sujeción
coalición	expectación	polución	superstición
concreción	fruición	precaución	tradición
contrición	inflación	ración	traición

Con dos cc:

abstracción
acción
adicción
afección
aflicción
atracción
calefacción
coacción
cocción
conducción

construcción
contracción
convicción
corrección
deducción
destrucción
dicción
distracción
elección
ficción

fracción
fricción
inducción
infracción
inspección
instrucción
insurrección
inyección
perfección
producción

reacción
redacción
reducción
restricción
satisfacción
sección
selección
succión
tracción
transacción

Uso de la G y la J:

La **g** no presenta problemas de confusión con la **j** cuando va delante de las vocales **a, o, u**, tanto en posición inicial de palabra como en el interior de ella: *gaita, gallo, gorra, gusto, regar, lago, según*. Sin embargo, cuando se antepone a **e, i**, su uso presenta dudas, puesto que **ge, gi** representan el mismo sonido que **je** y **ji**; es decir, corresponden ambos pares de grafías al mismo fonema velar fricativo sordo /j/, pero escribimos *genio, gente, gentil, gimnasia, giro, agente, ágil, regio, dígito, frágil* y *jefe, jeque, jerga, jinete, jirafa, berenjena, mujer, monje, traje, trajín, viaje*, lo cual no significa que podamos usar indistintamente una letra u otra. La utilización correcta de la **g** o de la **j** viene determinada por la etimología y el proceso histórico que ha seguido cada palabra en su evolución.

No es exagerado afirmar que quizá sea en torno al uso de ambas consonantes donde se establezcan más dudas a la hora de escribir una u otra. No es ajena a este fenómeno de ambigüedad la postura que la ortografía española conserva en esta cuestión, porque no establece una regla general que regule el uso de cada una de estas letras y resuelva de este modo este problema ortográfico. Tanto es así, que el poeta Juan Ramón Jiménez incluso decidió permitirse la licencia de sustituir la grafía **g** delante de **e, i** por la **j**: jinete, jitano... Pero él era un poeta de fama bien conocida.

Lo cierto es que no debe pronunciarse como /j/ el sonido /g/ oclusivo en final de sílaba, es del todo incorrecto. Correspondería, pues, al habla inculta la realización /ijnorár/ por *ignorar* o /ijnázio/ por *Ignacio*.

Igualmente es propio del habla popular pronunciar /g/ en palabras que empiezan por el diptongo **ue** precedido de **h** en la escritura: /güésped/ por *huésped* o /güeko/ por *hueco*.

Para el fonema /j̇/, en algunos casos y por razones etimológicas, se conserva la grafía **x**: *México, Oaxaca, texano, Texas*. Sin embargo, se articula como /j̇/. Esto ocurre en gran parte de los países de Hispanoamérica.

Se escriben con G:

1. **Todas las palabras que empiezan por geo-:**

geoide	geognosia	geogenia	geófago
geocéntrico	geofísica	geología	geometría
geodesia	geografía	geólogo	geopolítica
georama	geórgica	geomorfia	geomancia

2. **Todas las palabras que comienzan por gest-:**

gesta	gesticulación	gesticuloso	gesto
gestación	gesticular	gestión	gestor
gestadura	gestear	gestionar	gestoría
gestar	gestero	gestatorio	gestudo

3. **Todas las palabras que comienzan por in-:**

ingenerable	ingeniero	ingenioso	ingenuo
ingeniar	ingenio	ingénito	ingerir (comer)
ingeniatura	ingeniosamente	ingente	ingestión
ingeniería	ingeniosidad	ingenuidad	ingiva

Se exceptúa de esta regla las palabras:

injerencia, injerir (incluir), injertar, injerto.

4. **Todas las palabras que comienzan por leg-:**

legendario	legionario	legislativo	legitimador
legibilidad	legislable	legisperito	legitimar
legible	legislación	legista	legitimidad
legión	legislar	legitimación	legítimo

Se exceptúa de esta regla la palabra:

lejía.

5. **Las palabras terminadas en -gesimal, -ginal y -gional:**

sexagesimal   *marginal*   *vaginal*   *regional*

6. **Las palabras terminadas en -gia, -gio, -gía, -gío, -gión y -gioso:**

cefalalgia	frigio	apología	legión
estrategia	litigio	arqueología	región
magia	prodigio	astrología	religión
arpegio	regio	biología	contagioso
contagio	sufragio	metodología	religioso

Se exceptúan de esta regla:

alfajía, apoplejía, bujía, canonjía, crujía, hemiplejía, herejía, lejía y monjía.

7. **Las palabras llanas terminadas en -gismo, -ginoso, -gionario e -inge:**

neologismo	ferruginoso	correligionario	legionario
finge	esfinge	faringe	laringe

Se exceptúan de esta regla las palabras:

espejismo y salvajismo, derivadas de espejo y salvaje.

8. **Las palabras esdrújulas terminadas en -gélico, -gésimo, -gético, -giénico, -ígera, -ígero, -ógica, -ógico:**

apologético	cuadragésimo	exegético	lógica
arqueológico	demagógica	fisiológico	psicológica
astrológico	energético	flamígero	quincuagésimo
biológica	evangélico	higiénico	vigésimo

Se exceptúa de esta regla la palabra:

paradójico, derivada de paradoja.

9. **Las palabras que llevan el grupo gen:**

aborigen	general	imagen	negligente
agenda	género	indígena	primogénito
degenerado	generoso	ingeniar	regencia
detergente	genética	ingente	sargento
exigente	genio	ingenuo	urgente
fotogénico	gente	inteligencia	vigente
generación	heterogéneo	margen	virgen

Se exceptúan de esta regla:

ajenjo, ajeno, avejentar, berenjena, comején, enajenar, jején, jenabe, Jenaro, jengibre, jenízaro y Jenofonte.

También constituye una excepción la tercera persona del plural del presente de subjuntivo de los verbos cuyo infinitivo termina en -jar:

aherrojen	de aherrojar	dibujen	de dibujar
ahíjen	de ahijar	empujen	de empujar
alejen	de alejar	esponjen	de esponjar
arrojen	de arrojar	prohíjen	de prohijar
atajen	de atajar	rajen	de rajar
barajen	de barajar	relajen	de relajar
cobijen	de cobijar	sonrojen	de sonrojar

10. **Las palabras que tienen los grupos agi, igi:**

ágil	magisterio	efigie	prestigio
agilidad	magistrado	estigia	prodigio
agiotaje	sagita	frigidez	rigidez
agitación	sagitario	frígido	rígido
agitar	trágico	higiene	sigilo
mágico	vagido	litigio	vestigio

Se exceptúan de esta regla:

ají*, ajiaco* y los diminutivos de las palabras que terminan en aja y ajo: bajito, cajita, fajita, pajita, etc.

* Las palabras con asterisco son americanismos.

11. **También se escribe g delante de e, i en todas las formas de los verbos cuyo infinitivo termina en -ger, -gir:**

acoger:	*acoges, acogimos, acogerán...*
afligir:	*afliges, aflige, afligiste...*
dirigir:	*dirigen, dirigía, dirigiese...*
elegir:	*eliges, elegimos, elegiremos...*
regir:	*regimos, regiríamos, rigieren...*
transigir:	*transigiremos, transigimos, transigieron...*

Se exceptúan de esta regla:

tejer, crujir y sus compuestos.

Recordemos que en estos mismos verbos se escribe j delante de a, o:

acoger:	*acojo, acoja, acojas...*
afligir:	*aflijo, aflija, aflijas...*
dirigir:	*dirijo, dirija, dirijas...*
elegir:	*elijo, elija, elijas...*
regir:	*rijo, rija, rijas...*
transigir:	*transijo, transija, transijas...*

Nota:

Uso de la g y j al final de sílaba:

En posición final de sílaba es difícil la distinción entre los sonidos g y j.

Se escribe G:

En el interior de palabra seguida siempre de consonante nasal (m-n):

agnosticismo	estigma	ignífugo	segmentación
asignación	dignatario	ignorancia	segmentar
asignar	dogma	ignorar	segmento
asignatura	dogmático	impregnar	sigmoideo
cognoscitivo	dogmatismo	incógnita	signar
consigna	ígneo	resignación	signatura
consignatario	ignición	resignar	significación

Se escriben con J:

1. **Las palabras que empiezan por aje-, eje-:**

ajedrez	ejecución	ejercer	ajenjo
ejecutar	ejercicio	ajeno	ejecutivo
ejercitar	ajetreo	ejemplo	ejército

Se exceptúan de esta regla las palabras:

agencia, agenda, agente, agerasia, egeno, egestad, egetano y sus derivados.

2. **Las palabras terminadas en -aj, -oj:**

boj	carcaj	reloj	troj

3. **Las palabras terminadas en -aje y -eje:**

bagaje	homenaje	oleaje	deje
coraje	linaje	paisaje	esqueje
chantaje	masaje	personaje	fleje
embalaje	menaje	salvaje	hereje

Se exceptúa de esta regla la palabra

ambages.

4. **Todas las formas de los verbos terminados en -jear:**

callejear:	callejeo, callejeasteis, callejearemos...
canjear:	canjeáis, canjeaban, canjees...
cojear:	cojeas, cojeabais, cojearéis...
flojear:	flojeamos, flojeasteis, flojea...
forcejear:	forcejaste, forcejeamos, forcejeo...
granjear:	granjea, granjearé, granjeara...
ojear:	ojeo, ojearás, ojees...
lisonjear:	lisonjeáis, lisonjea, lisonjees...

5. **Las palabras terminadas en -jero, -jera y -jería:**

agujero	granjero	ojera	cerrajería
cajero	pasajero	tijera	conserjería
cerrajero	relojero	viajera	extranjería
consejero	encajera	vinajera	mensajería
extranjero	mensajera	brujería	relojería

Se exceptúan de esta regla:

belígero, flamígero, ligero y sus derivados.

6. **Las formas verbales de los verbos cuyo infinitivo termina en -jar:**

atajar:	atajaremos, atajasteis, atajaban...
bajar:	bajo, bajamos, bajarás...
resquebrajar:	resquebrajó, resquebraje, resquebraja...
cejar:	cejaré, cejó, cejasteis...
dejar:	dejo, dejabais, dejaremos...
estrujar:	estruja, estrujaré, estrujen...
fajar:	fajaremos, fajaste, fajan...
rajar:	rajo, rajó, rajasteis...
trabajar:	trabajamos, trabajaron, trabajen...
relajar:	relajas, relajé, relajen...

7. **Las formas irregulares de los verbos que en su infinitivo no tienen g ni j:**

aducir:	aduje, adujiste, adujera...
atraer:	atrajimos, atrajerais, atrajeron...
bendecir:	bendijo, bendijiste, bendijeron...
conducir:	condujo, condujimos, condujerais...
contraer:	contraje, contrajo, contrajera...
decir:	dijiste, dijeron, dijésemos...
distraer:	distrajiste, distrajeran, distrajeseis...
extraer:	extrajiste, extrajeran, extrajeseis...
inducir:	induje, indujeron, indujeseis...
maldecir:	maldijo, maldijera, maldijese...

Uso de la H

La **h** es la novena letra del alfabeto español. Su género es femenino y, como excepción a la regla que exige el artículo **el** ante los sustantivos femeninos que empiezan por /**a**/ tónica, decimos: *la hache* o *las haches*.

Esta letra es un signo puramente ortográfico sin ninguna clase de articulación fonética. Su existencia se debe a razones solamente históricas e incluso arbitrarias, en ocasiones, puesto que actualmente, al no representar ningún fonema, no se pronuncia.

Efectivamente, en algunas palabras como *habilitar, honor* y *prohibir*, la **h** procede de voces latinas que se escribían con esta letra: *habilis, honor* y *prohibeo*, respectivamente, al principio de palabra o intercalada. Sin embargo, en algunos casos, esta norma no se sigue en las palabras que, procediendo de otras latinas que la tenían, en español la han perdido. Así, escribimos *invierno*, que procede de la palabra latina *hibernus*; en cambio, *hibernación* la conserva; otro tanto ocurre con *asta* (bastón, palo de lanza, pica, bandera, etc.) que procede del latín *hasta*.

En otras palabras la **h** ha sustituido a la **f** antevocálica con que principiaban antiguamente algunos vocablos: *hacer, hijo, hurto*, proceden de *facer, fijo* y *furto* respectivamente, a pesar de que esta **f** se ha mantenido en palabras cultas o semicultas: *fama, fe, foro, fuga*. Tampoco se ha experimentado ningún cambio de **f** en **h** en palabras con el diptongo **ue**: *fuego, fuelle, fuera, fuerza*, y en algunos casos **ie**: *fiebre, fiera, fiesta*.

En algunas zonas de Andalucía, Extremadura, Canarias, y los países hispanoamericanos, la **h** se aspira, es decir, se pronuncia como una **j** suave. En el español actual dan testimonio de este fenómeno algunas palabras de origen andaluz admitidas por la Real Academia con ortografía que refleja su pronunciación popular. Entre ellas está: *jaca, jalear, jaleo, jamelgo, jolgorio, juerga* y otras.

También en algunas voces de origen extranjero se le da a la **h** la pronunciación de /j/: /*jall*/ de hall, /*jawai*/ de Hawai.

El hablante culto debe evitar la aspiración de la **h** inicial por tratarse de un vicio de dicción de reconocida vulgaridad.

Después de lo dicho, conviene fijar las reglas de su uso en la escritura.

Se escriben con H:

1. Las palabras que comienzan por hebr-, hist-:

hebra	hebrudo	historia	historiografía
hebraico	histeria	historiados	historiología
hebraísmo	histérico	historial	histrión
hebreo	histerismo	histórico	histriónico
hebroso	histología	historieta	histrionismo

Se exceptúan de esta regla:

ebrancado, ebriedad, ebrio, Ebro e istmo.

2. Las palabras que empiezan por herm- y hern-:

hermafrodita	hermenéutico	Herminia	hermodátil
hermanar	hermandad	Hermógenes	hernia
hermanastro	hermano	hermosear	herniado
Hermenegildo	hermético	hermoso	herniar
hermeneuta	hermetismo	hermosura	hernista

Se exceptúan de esta regla:

ermita y sus derivados, y Ernesto.

3. Las palabras que comienzan por holg-, horn-, horm-, horr- y hosp-:

holgado	honradez	hormona	horroroso
hoganza	honrado	hormonal	hospedaje
holgar	honrar	horrendo	hospedar
holgazán	honroso	hórreo	hospedería
holgazanear	horma	horrible	hospiciano
holgazanería	hormiga	horripilante	hospicio
holgorio	hormigón	horripilar	hospital
holgura	hormigonera	horror	hospitalario
honra	hormigueo	horrorizar	hospitalizar

4. **Las palabras que comienzan con los prefijos griegos hecta-** (ciento), **helio-** (sol), **hemi-** (mitad), **hepta-** (siete), **hetero-** (otro, distinto), **hexa-** (seis) y **homo-** (igual):

hectárea	hemiciclo	heptágono	hexágono
hectogramo	hemiplejía	heptasílabo	homófono
hectolitro	hemíptero	heterodoxo	homogéneo
heliocéntrico	hemisferio	heterogéneo	homónimo
heliotropo	hemistiquio	hexaedro	homosexual

5. **Las palabras que comienzan por los prefijos griegos hidr-** (agua) **hiper-** (sobre), e **hipo-** (debajo):

hidráulico	hipérbole	hipertenso	hipogastrio
hiroavión	hiperbóreo	hipertrofia	hipología
hidrocarburo	hipercrítico	hipocondría	hipopótamo
hidrógeno	hiperestesia	hipocresía	hipoteca
hidrólisis	hipermetropía	hipofagia	hipótesis
hipérbaton	hipersensible	hipófisis	hiposo

6. **Todas las palabras y sílabas que comiencen por el diptongo hue-:**

alcahuete	huelga	huerta	hueste
aldehuela	Huelva	huerto	hueva
cacahuete	huella	huesa	huevo
hueco	huemul*	hueso	parihuela
huecograbado	huero	huésped	vihuela

7. **Todas las palabras que comienzan por hia-, hie- y hui-:**

hialino	hiena	huida	huipil*
hiato	hierático	huidizo	huir
hiedra	hierba	huillín*	huira*
hiel	hierbuena	huincha*	huiro*
hielo	hierra	huinche*	huisache*
hiemal	hierro	huingán	huitlacoche*

* Las palabras con asterisco son americanismos.

142

8. **Las palabras que comienzan por hum- más vocal:**

humanidad	humectar	humero	humor
humanizar	humedad	humildad	humorada
humano	humedecer	humilde	humorismo
humareda	humera	humillación	humorístico
humeante	humeral	humillar	humoso
humear	húmero	humo	humus

9. **Todas las formas del verbo haber:**

he	hubiste	hubieras	hube
has	habréis	hubieran	hube habido
ha	haya	hubiésemos	habiendo
habemos	habríais	hubiesen	hubieren
habéis	habríamos	ha habido	hubiéremos
habíamos	hayáis	habías	hubisteis
habían	habrían	habido	hubieron

Las formas **ha** y **he** del verbo **haber** no deben confundirse con la **preposición a** y con la **conjunción e** ni con las **interjecciones eh** y **ah**:

El ebanista ha terminado el mueble.	(verbo)
Vámonos de vacaciones a París.	(preposición)
¡Ah! no me había acordado.	(interjección)
Les he dicho que volvieran luego.	(verbo)
Padre e hijo trabajan en la misma empresa.	(conjunción)
¡Eh!, no te olvides de mi encargo.	(interjección)
Juan e Inés han llegado ya. Los he visto.	(conjunción/verbo)

10. **Todas la formas de los verbos habitar, hablar, hacer y hallar:**

habito	hablas	hago	halló
habitaste	hablasteis	hacen	hallaréis
habitaron	hablarán	hicisteis	hallaríamos
habitasen	hablaseis	hicieran	hallasen
habitáramos	hablaré	hagas	hallase
habiten	habléis	hacen	hallaras

11. **Después de las sílabas mo y za siempre que les siga una vocal:**

moharra	moheña	zahareño	zahón
mohatra	mohín	zaharí	zahondar
mohecer	mohíno	zaherir	zahorí
moheda	moho	zahína	zahúrda

Se exceptúan de esta regla las palabras:

moabita, moaré, Moisés y zaino.

12. **También se escribe h después de las vocales que son interjecciones o interrogaciones:**

¡ah!	¡eh!	¡oh!	¿eh?

13. **Asimismo se escriben con h las interjecciones siguientes:**

¡hala!	¡harre!	¡hurra!	¡hum!
¡bah!	¡hola!	¡huy!	¡huiche!*

* Las palabras con asterisco son americanismos.

14. **Todas las palabras compuestas y derivadas de otras que empiezan con h:**

hábil:	habilidad, habilidoso, habilitado...
hechizo:	hechicería, hechicero, hechizar...
hilo:	hilar, hilado, hilandería...
hinchar:	hinchado, hinchazón, hinchamiento...

Se exceptúan de esta regla las siguientes palabras:

oquedad	de hueco
orfandad	de huérfano
osamenta, osario, óseo, osificar	de hueso
ovalado, óvalo, ovario, ovoide, ovíparo, óvulo	de huevo

Palabras con doble grafía

La Real Academia permite que algunas palabras presenten una doble grafía. Ello se debe, unas veces, a razones etimológicas, y otras, a razones fonéticas. Sin embargo, una de las dos redacciones suele ser la recomendada y la que se prefiere en textos cultos.

Recomendada	Inusual
acera	hacera
alhelí	alelí
arambel	harambel
armonía	harmonía
arpa	harpa
arpado	harpado
arpía	harpía
arpillera	harpillera
¡arre!	¡harre!
arrear	harrear
batahola	bataola
buhardilla	buardilla
desharrapado	desarrapado
guaca*	huaca*
guacal*	huacal*
guaco*	huaco*
guasca*	huasca*
hansa	ansa
herreruelo	ferreruelo
hiedra	yedra
hierba	yerba
hierro	fierro*
iguana	higuana
fila	hila
ológrafo	hológrafo
reprender	reprehender
represensible	reprehensible
reprensión	reprehensión
ujier	hujier

* Las palabras con asterisco son americanismos.

Homófonos de H *(ver homófonas en Glosario, pág. 265)*

a (preposición)	¡ah! (interjección)
ablando (ablandar)	hablando (hablar)
abre (abrir)	habré (haber)
abría (abrir)	habría (haber)
acedera (planta)	hacedera (fácil de hacer)
ala (apéndice para volar)	¡hala! (interjección)
alado (con alas)	halado (de halar, tirar hacia sí)
alambra (alambrar)	Alhambra, La (palacio árabe)
alar (alero)	halar (tirar hacia sí)
aloque (vino)	haloque (embarcación)
aprender (estudiar)	aprehender (capturar)
anega (inundar)	hanega (medida agraria)
arte (habilidad)	harte (de hartar)
as (palo de la baraja)	has (haber)
asta (cuerno, palo)	hasta (preposición)
atajo (camino acortado)	hatajo (pequeño grupo de ganado)
ato (de atar)	hato (grupo de ganado)
aya (criada)	haya (haber/árbol)
azar (casualidad)	azahar (flor)
echo (echar)	hecho (hacer)
errar (equivocarse)	herrar (poner herraduras)
ice (izar)	hice (hacer)
ojear (mirar)	hojear (pasar hojas)
onda (movimiento)	honda (cuerda)
ola (movimiento de mar)	¡hola! (interjección)
ora (orar)	hora (tiempo)
orca (cetáceo)	horca (instrumento de suplicio)
ornada (adornada)	hornada (lo que cabe en un horno)
uno (número cardinal)	huno (antiguo pueblo invasor)
uso (usar)	huso (útil para hilar)
yerro (equívoco)	hierro (metal)

Uso de la I, la Y y la LL

La letra **i** representa al fonema vocálico /i/: *biblioteca, cimiento, indio*. La **y** unas veces transcribe este fonema vocálico: *ley, mar y cielo*, y otras, representa al fonema semiconsonántico /**y**/: *bueyes, mayo, reyes*.

La grafía **ll** representa al fonema consonántico palatal líquido /ll/, que en el idioma español se encuentra siempre en posición inicial de sílaba, tanto al principio de palabra: *llave, llovizna, lluvia*, como en posición intervocálica: *calle, collar, cuello*; pero nunca en posición final de palabra. Las grafías **ll** y **rr** son las únicas en la ortografía española que duplicando un mismo signo transcriben un solo fonema.

Algunas veces la grafía **ll** se identifica con el fonema /**y**/: *gayina* en lugar de *gallina*, *oya* por *olla*, *poyo* por *pollo*. Este fenómeno se denomina **yeísmo**. En el caso del último ejemplo y en algunos otros casos: *arroyo* y *arrollo*, *rayo* y *rollo*, etc., esta identificación puede inducir a confusión y a error ya que estos vocablos que los **yeístas** pronuncian igual son dos palabras distintas que tienen, por lo tanto, significados distintos y la deficiente pronunciación los anula.

El **yeísmo** hoy en día ha ganado en estimación social y se trata, en general, de un fenómeno más propio de los ambientes urbanos que rurales, que mantienen la distinción entre /ll/ e /**y**/. Madrid es yeísta y este hecho contribuye, sin duda, a que esta identificación se haya admitido en la lengua culta. En España, el yeísmo es frecuente en casi toda la mitad sur de la península: casi toda Andalucía y Extremadura, Ciudad Real, Madrid, Toledo, y sur de Ávila. La mitad norte de la península conserva la distinción entre los dos fonemas.

147

En América el **yeísmo** domina en parte de Argentina, Chile, Uruguay, la provincia de Tarija en Bolivia, Lima, el litoral de Ecuador, parte de Colombia, Venezuela, Méjico y las Antillas. En estos lugares, además, la confusión entre los dos fonemas se refleja en la escritura. Este fenómeno no se observa, en cambio, en la zona andina de Colombia, en la parte sur de Ecuador, en gran parte de Perú y Bolivia, en el norte y sur de Chile, en Paraguay y en el norte de Argentina, en donde la pronunciación de **ll** se mantiene.

Se escribe I:

1. **Al principio de palabra cuando va seguida de consonante:**

ibaró*	ideología	iluminación	islamita
ibérico	idílico	imagen	islandés
ibice	idilio	imaginación	isleño
ibicenco	idioma	imán	isobara
iceberg	idiosincrasia	imprenta	isomorfo
icipó*	idolatría	inca	israelita
icono	idóneo	incendio	istmo
iconografía	iglesia	incienso	itálico
icosaedro	iglú	indio	iteración
ictericia	ignorancia	inquieto	iterar
ictiología	ignoto	interés	iterativo
ictiólogo	igual	iquiteño	itinerante
ida	ijada	ira	itinerario
idea	ilación	irupé*	itrio
ideal	ilativo	ironía	ivernal
ideático	ileso	iscle*	ivernar
idéntico	ilícito	isla	izabaleño
identidad	ilógico	islam	izar
identificar	ilota	islamismo	izquierdo

* Las palabras con asterisco son americanismos.

2. **Al final de la palabra, si va acentuada o inmediatamente precedida de consonante:**

ahí	bigudí	colibrí	iraquí
ají*	bisturí	cogí	israelí
ajilimójili*	bróculi	digerí	jabí*
ajonjolí	cadí	esquí	jachalí*
alcalí	caí	gachí	jaguaní*
alfonsí	candi	guaraní	lapislázuli
alhelí	cañí	infundí	leí
allí	casi	ingerí	llallí*
aquí	carmesí	inquirí	maniquí
así	coatí	iraní	mapamundi

149

maravedí	*¡ochi!**	*quinqui*	*sirimiri*
marroquí	*ofendí*	*repipi*	*subí*
moví	*panoli*	*recibí*	*tasi*
muladí	*perdí*	*reñí*	*teñí*
nací	*pervertí*	*repetí*	*tepechichi**
*ñachi**	*potosí*	*sarandí**	*urutí**
*ñandutí**	*quemí**	*siguí**	*zambullí*

* Las palabras con asterisco son americanismos.

Se escribe Y:

1. Cuando es conjunción copulativa:

blanco y negro	imagen y sonido	listos y buenos
cal y canto	mañana y tarde	cansado y triste
tranquilo y feliz	tres y tres	capa y espada
fuerte y robusto	Juan y Pedro	pies y manos
María y Javier	alto y esbelto	joven y hermosa
viento y marea	rojo y azul	visto y oído

Debe sustituirse por e cuando la palabra siguiente principia por i o por hi:

parado e inmovil	padre e hijos	Escocia e Irlanda
malo e ineficaz	aguja e hilo	José e Hilario
sincero e ingenuo	tardío e inoportuno	Japón e Indonesia
pasivo e indiferente	pan e higos	Alberto e Isabel
alterado e histérico	torpe e irreflexivo	pueril e iluso
Luis e Inés	María e Ignacio	derecha e izquierda
bueno e iluso	grave e importante	rudo e ignorante

Dicha sustitución no se efectúa cuando hi es comienzo de un diptongo:

dispara y hiere	miel y hiel	musgo y hiedra
flores y hierbas	nieve y hielo	serio y hierático

2. Al principio de palabra seguida de vocal o en medio de vocales; es decir, cuando el fonema que representa tiene valor consonántico:

yacer	yeso	cayó
yanqui	yodo	hoyo
yate	yugo	joya
yegua	yunque	mayo
yelmo	baya	payaso
yema	bayoneta	pléyade
yerno	boya	raya
yesca	cayado	rayo

3. **En las palabras que comienzan por ye-:**

yegua	yerbear*	yerro	yeso
yeísmo	yermo	yerto	yesquero
yelmo	yerno	yesal	yeta*
yema	yero	yesca	

* Las palabras con asterisco son americanismos.

En los siguientes casos, la Real Academia Española de la Lengua permite las formas:

hierba-yerba, hiedra-yedra, hierro-yerro

4. **Al final de las palabras agudas terminadas en ese fonema:**

Alcoy	convoy	guirigay	Paraguay
¡ay!	doy	hay	rey
bocoy	estoy	hoy	soy
buey	fray	ley	Uruguay
¡caray!	Godoy	maguey	virrey
carey	grey	muy	voy

5. **En la sílaba yec-:**

abyección	eyector	inyector	proyectista
abyecto	inyección	proyección	proyecto
deyección	inyectable	proyectar	trayecto
deyector	inyectar	proyectil	trayectoria

6. **Después de los prefijos ad-, dis- y sub-:**

adyacente	disyunta	disyuntar	subyugación
coadyudar	disyuntiva	disyuntor	suyugador
disyunción	disyuntivo	subyacente	subyugar

Se escribe LL:

1. **Después de las sílabas fa, fo, fu cuando comienzan palabra:**

falla	fallecer	follaje	follón
fallanca	fallecimiento	follero	fulla
fallar	fallero	folletín	fulleresco
fallear	fallido	folleto	fullería
falleba	fallo	follisca*	fullero

* Las palabras con asterisco son americanismos.

2. **En las palabras que comienzan por lla-, lle-, lli-, llo-, llu-:**

llaca*	llanura	llenar	lloriqueo
llaga	llar	lleulle	llorón
llama	llareta*	llevar	llovedizo
llamar	llave	lliclla*	llover
llanca*	llavero	lloica*	lloviznar
llano	llegar	llora	lluviar*
llanta	llena	llorar	lluvioso

* Las palabras con asterisco son americanismos.

3. **En las palabras terminadas en -illa, illo:**

bombilla	orilla	barquillo	pinganillo*
buhardilla	palomilla	carajillo	pitillo
camilla	pastilla	colmillo	plantilla
cerilla	patilla	cuchillo	rastrillo
colilla	pestillo	chiquillo	sencillo
costilla	plantilla	descansillo	solomillo
cuchilla	quilla	martillo	tranquillo
manilla	rejilla	ovillo	tresillo
mantilla	semilla	palillo	tornillo
muletilla	silla	pillo	visillo

* Las palabras con asterisco son americanismos.

Parónimos de ll e y *(ver parónimos en Glosario, pág. 279)*

arrollo	(arrollar, verbo)	arroyo	(riachuelo)
bolla	(panecillo)	boya	(señal)
bollero	(que hace bollos)	boyero	(que cuida boyas)
callado	(callar, verbo)	cayado	(bastón)
callo	(dureza de la piel)	cayo	(islote)
calló	(callar, verbo)	cayó	(caer, verbo)
falla	(hoguera)	faya	(peñasco)
gallo	(ave)	gayo	(alegre, vistoso)
halla	(hallar, verbo)	haya	(árbol)
halla	(hallar, verbo)	aya	(niñera)
hulla	(carbón)	huya	(huir, verbo)
malla	(tejido)	maya	(pueblo, civilización)
mallo	(mazo)	mayo	(mes)
pollo	(animal)	poyo	(banco)
olla	(puchero)	hoya	(fosa)
pulla	(expresión)	puya	(vara)
rallar	(desmenuzar)	rayar	(hacer rayas)
rallo	(desmenuzar)	rayo	(chispa)
rollo	(cosa cilíndrica)	royo	(roer, verbo)
valla	(cerca)	vaya	(ir)

Uso de la M y la N

Estas dos letras transcriben respectivamente el fonema bilabial nasal sonoro /**m**/ y el fonema alveolar nasal sonoro /**n**/, que son lo suficientemente distintos para que, en posición anterior a vocal, no haya confusión posible entre ellos, ya que cada una tiene una realización fonética propia. *Cama* y *cana*, *como* y *cono*, *mata* y *nata*, *módulo* y *nódulo*, *mudo* y *nudo*, *tomo* y *tono* son parejas de palabras que se diferencian en el punto de articulación de su consonante nasal –la **m** es bilabial y la **n** es alveolar– y no pueden confundirse. Sin embargo, existen otros casos en que la pronunciación de ambos fonemas difiere muy poco y su distición presenta cierta dificultad.

Esto ocurre cuando se apoya su articulación en la vocal anterior –posición implosiva–; en este caso aumenta la posibilidad de confusión, porque la diferencia articulatoria entre /**m**/ y /**n**/ disminuye: *ambos, campo, combate, convenir, convite, infusión, invención, tiempo.* Esto es debido a que la condición implosiva tiende a debilitar la pronunciación consonántica o a que la articulación queda afectada por la pronunciación del fonema consonántico siguiente /**p**/, /**b**/ o /**f**/.

Por otra parte, algunas veces el fonema /**n**/ también puede confundirse con /**m**/ en la pronunciación rápida de aquellas palabras en las que ambos fonemas vayan juntos: *conmemorar, conmoción, conmutar, inmaterial, inmejorable, inmoral.*

También en el hablar popular puede presentar alguna dificultad la pronunciación del fonema /**m**/ al final de algunas palabras –sobre todo latinismos–, como *álbum, ídem, tándem, tedéum,* etc., lo cual, consecuentemente, podría repercutir en su transcripción.

Todo lo dicho, por lo tanto, aconseja establecer algunas normas clarificadoras que eviten vacilaciones en el uso de ambas letras en la escritura.

Se escribe M:

1. Delante de b y p:

ámbar	fiambre	amputar	limpio
ambición	hambre	comprimir	mampara
ambos	hombre	compromiso	rampa
cumbre	incertidumbre	empatar	romper
émbolo	lumbre	imprenta	siempre
embrollo	mimbre	incompleta	tiempo
embustero	timbre	lámpara	trompeta

Incluso los prefijos con-, en- e in- se convierten en com-, em- e im- delante de b y p:

combatir	embadurnar	empalar	imparable
combinar	embozar	emplazar	impotencia
compadeder	embromar	imbatible	impar
compadre	embrutecer	imberbe	impalpable
complacer	embutir	imborrable	implantar
componer	empacar	imbuir	imposible
compulsar	empadronar	impaciente	impune

2. Al final de sílaba cuando la siguiente comienza por na, ne, ni y no:

columna	solemne	indemnizar	solemnidad
columnata	amniótico	insomnio	solemnizar
gimnasia	amnistía	ómnibus	somnífero
himnario	amnistiar	omnipotente	somnoliento
amnesia	calumnia	omnipresente	alumno
amnésico	damnificado	omnisciente	himno
insomne	damnificar	omnívoro	himnodia

Se exceptúan de esta regla las palabras:

connatural, connivencia, connotar, ennegrecer, ennoblecer, innato, innecesario, innoble innovar y sinnúmero; mnemotecnia y sus derivados pueden escribirse sin la **m** inicial.

3. **Sólo algunas palabras procedentes de otras lenguas terminan en m:**

Abraham	maremágnum	quántum	tedéum
álbum	máximum	quórum	tótem
ídem	memorándum	súmmum	ultimátum
mágnum	Miriam	tándem	vademécum

4. **La m nunca se duplica en español.**

Se exceptúan de esta regla:

el adjetivo commelináceo; las palabras gamma y digamma y algunos nombres propios: Emma, Emmanuel.

Se escribe N:

1. **Delante de las consonantes que no son b ni p:**

anclar	ennoblecer	inmundo	pensar
andar	enviar	innato	rendir
antiguo	fantasía	innecesario	renta
concierto	frontal	innoble	sensible
conducta	gente	innovar	sinnúmero
conmigo	honrado	insensato	tanto
dental	inducir	íntimo	voluntad
encierro	infundir	mando	uncir
ennegrecer	inmenso	nunca	ungüento

2. **Al final de palabra:**

bergantín	defunción	lección	resumen
can	escarpín	ocasión	reunión
certamen	examen	pan	salón
colección	fin	pantalón	tapón
colchón	hipérbaton	reacción	velamen

3. **La n se duplica cuando sigue a los prefijos con-, en- e in-:**

connatural	connotar	ennoblecer	innegable
connivencia	connumerar	ennoblecimiento	innoble
connotación	ennegrecer	innato	innominado
connubio	ennegrecido	innecesario	innovador

4. **El prefijo negativo in-:**

4.1. **Pierde la n ante l:**

ilegal	ilegitimar	iletrado	ilimitable
ilegalidad	ilegitimidad	iliberal	ilimitado
ilegible	ilegítimo	ilícito	iliterato
ilegislable	ileso	ilicitud	ilógico

4.2. **Se convierte en ir ante palabras que empiezan por r:**

irracional	irreconocible	irremediable	irreversible
irradiar	irrecusable	irreprochable	irrigar
irrazonable	irredento	irrespirable	irrisible
irreal	irreductible	irresoluto	irritación
irrebatible	irregular	irresuelto	irrompible
irreconciliable	irrelevante	irreverente	irrupción

4.3. **Se convierte en m ante b y p:**

imbatible	imborrable	impecable	impío
imbatido	impagado	impedido	implícito
imbebible	impago	impenetrable	imponderable
imberbe	imparable	impensable	impopular
imbibición	imparcial	imperfecto	impotente
imbíbito*	impávido	impermeable	impracticable

* Las palabras con asterisco son americanismos.

5. **Siempre ante v:**

anverso	convivir	enviar	invasor
convalidar	convocar	envió	invectiva
conversión	convocatoria	envite	inventar
convexo	convoy	envolver	invierno
convidar	convulsionar	invadir	invitado
convite	envés	inválido	triunvirato

6. **Siempre ante f:**

anfetamina	conferencia	confundir	ínfulas
anfibio	conferir	confusión	infundio
anfibología	confesión	enfermo	infundir
anfiteatro	confesor	enfrascar	infusión
anfitrión	confirmar	enfundar	triunfal
confabulación	conforme	infame	triunfar
confección	conformidad	infamia	triunfo

7. **Sílabas trans y tras:**

En estas sílabas, la presencia o ausencia de la **n** responde a los siguientes casos:

7.1. **Es necesaria su presencia cuando n y s pertenecen a sílabas distintas: tran + s inicial de la sílaba siguiente:**

transacción	transición	transiberiano	transitivo
transepto	transido	transir	tránsito
transeúnte	transigencia	transistorizar	transitoriedad
transexual	transigente	transitable	transubstancial
transiberiano	transigir	transitar	transubstanciar

7.2. **Es indiferente su uso en la sílaba trans o tras, aunque la Academia prefiere la primera:**

Preferible		Preferible	
transatlántico	trasatlántico	transmigración	trasmigración
transbisnieto	trasbisnieto	transmigrar	trasmigrar
transbordador	trasbordador	transmisión	trasmisión
transbordar	trasbordar	transmitir	trasmitir
transcendental	trascendental	transmontano	trasmontano
transcribir	trascribir	transmontar	trasmontar
transcripción	trascripción	transmudación	trasmudación
transcurrir	trascurrir	transmudar	trasmudar
transcurso	trascurso	transmutación	trasmutación
transferencia	trasferencia	transmutar	trasmutar
transferir	trasferir	transparencia	trasparencia
transfiguración	trasfiguración	transparente	trasparente
transfigurar	trasfigurar	transpiración	traspiración
transformación	trasformación	transpirar	traspirar
transformar	trasformar	transplante	trasplante
tránsfuga	trásfuga	transporte	trasporte
transfundir	trasfundir	transportar	trasportar
transfusión	trasfusión	transposición	trasposición
transmarino	trasmarino	transversal	trasversal
transmediterráneo	trasmediterráneo	transverso	trasverso

7.3. **No es necesaria en la sílaba tras de las palabras siguientes:**

trasca	trashumante	traspasar	traste
trascantón	trasladar	traspaso	trastear
trascolar	traslado	traspié	trastero
trascoro	trasluz	trasplantar	trastienda
trasdós	trasmallo	trasplante	trastocar
trasfondo	trasmano	traspunte	trastornar
trasgo	trasnochar	trasquilar	trastorno
trashumancia	traspapelar	trastada	trastrueque

Uso de la R y la RR

La dificultad ortográfica en el uso de estas dos consonantes radica en que la letra **rr** representa siempre el fonema /**rr**/, pero la letra **r** puede representar indistintamente –según la posición de la sílaba– los dos fonemas: /**r**/ y /**rr**/ ambos alveolares vibrantes, pero de notable diferencia. El fonema /**r**/ es vibrante simple: *adornar, arte, barba*. El fonema /**rr**/ es vibrante múltiple: *gorro, ahorrar, turrón, coscorrón*.

Representa al fonema /**r**/ en los siguientes casos:

En posición intervocálica como principio de sílaba, cualquiera que sea la vocal que la precede o la sigue: *ario, aro, era, eres, erizo, erudito*.

Detrás de consonante labial, /**b**/, /**p**/; dental, /**d**/, /**t**/; velar, /**g**/, /**k**/ y labiodental, /**f**/, formando con esa consonante cabeza silábica, tanto al principio de palabra: *(bronca, cráneo, drama, frito, fruto, grama)* como en el interior de ella: *(agrio, capricho, cobro, cofre, entre, odre, secreto)*.

Como final de sílaba, al principio de palabra: *arco, carga, marco, puerto*; en el interior: *acuerdo, comarcal, importado, inoportuno*; o al final de ella: *haber, conocer, tomar, volcar*.

Entre los fenómenos que pueden afectar a la pronunciación del fonema /**r**/ y, por tanto, a su escritura, debe destacarse el de su supresión al final de la palabra /*bebé*/ por *beber*; /*carecé*/ por *carecer*. Otro fenómeno dialectal es la confusión de fonema /**r**/ y el fonema /**l**/: /*cantal*/ por *cantar*, /*cerral*/ por *cerrar*. Es vulgarismo la desaparición de /**r**/ en palabras como /*caéce*/ en lugar de *carece*; /*paéce*/ en lugar de *parece*.

La letra **r** transcribe el fonema /**rr**/ en los siguientes casos:

Al principio de palabra seguida de vocal: *radio, renta, ritmo, rucio*.

Como cabeza silábica en el interior de palabra detrás de algunas consonantes, **b**, **l**, **n**, **s**: *subrayar, alrededor, enredar, desrizar.*

La letra **rr** sólo puede transcribir el fonema /**rr**/ y únicamente aparece en el interior de palabra, entre vocales: *arrancar, arreciar, arroz, carro, cirro, corre, escurrir.*

Se escribe R:

1. Para representar el sonido vibrante simple:

1.1. Entre vocales en el interior de palabra:

aforo	dorar	harina	mérito
ario	duro	héroe	moribundo
aro	era	horario	muro
bario	erizo	horóscopo	nariz
boro	erosión	huracán	paria
burocracia	erótico	ira	pecera
caro	erupción	jarabe	soroche*
cero	farol	jurar	tara
cirio	feroz	lirón	toro
coro	fiera	llorar	virar
derivar	furor	marido	voraz

* Las palabras con asterisco son americanismos.

1.2. Detrás de consonante:

abrazar	cresta	extraño	hombre
acre	criatura	frío	lepra
acrobacia	drama	fruto	obra
brazo	drupa	grande	ocre
bronca	enfrente	grano	otro
cifra	enfriar	grupa	pulcritud
compra	engreído	hambre	pulcro

1.3. Al final de sílaba

árbol	circo	ermita	margen
arco	cóndor	farmacia	mercurio
barco	corcel	forma	mortal
burlar	cordel	germinar	musitar
cadáver	curva	haber	norte
cerveza	dormir	largo	olvidar
cerviz	durmiente	marco	partir

2. **Para representar el sonido vibrante múltiple:**

2.1. **Al principio de palabra:**

rabal	refocilo	rispidez*	rozar
raer	reloj	rito	rubí
rajar	renovar	ritual	rubio
ralea	reo	rizo	rublo
rama	retablo	roble	rubor
rangoso	retazo	rocería*	rucio
ranfañoso*	reúno	rochelear*	rufián
rascabuche*	rezo	rojo	rulo
raspa	ribo*	romero	rumano
rastro	riel	romper	rumiar
rata	rima	rosa	rumor
real	río	rotonda	ruso
rebozo	risa	rotundo	ruta

* Las palabras con asterisco son americanismos.

2.2. **Después de los prefijos ab-, post- y sub-:**

abrogación	abrogatorio	subrayado	subrogaciór
abrogar	postromántico	subrayar	subrogada
abrogativo	subrayable	subreino	subrogar

2.3. **Después de l, n y s:**

alrededor	enrasar	Enrique	honra
alrota	enredadera	enriquecer	honradez
desrabadillar*	enredar	enristrar	honroso
desratizar	enredista*	enrojecer	israelita
desrielar*	enredo	enrolar	sinrazón
enrabiar	enrejado	enrollar	sonreír
enraizar	enrevesado	enromar	sonrisa
enramado	enrielar	enroscar	sonrojar
enrarecer	enripiar	enrular	sonrojo

* Las palabras con asterisco son americanismos.

Se escribe RR:

1. **Cuando representa el sonido vibrante múltiple entre vocales:**

arras	corrido	horror	morroña
barro	derramar	marrajo	morrudo
borrar	derribar	marrano	murria
burro	derrochar	marrazo	murriada*
carro	errar	marroquí	murriar*
cerro	errona*	mirra	parricida
cirro	error	morral	perro
corraleja*	férreo	morro	porrón
corredor	forrar	morrocota*	susurro
correr	herradura	morrocotudo	torre
corrial*	herrumbre	morrongo	tórrido

* Las palabras con asterisco son americanismos

2. **En las palabras compuestas cuyo segundo elemento empieza por r, conviene duplicarla si queda entre vocales, para que mantenga el sonido vibrante múltiple de la palabra simple:**

arrasar	contrarréplica	irrealizable	irreversible
arrebañar	contrarrestar	irrebatible	irrevocable
arremolinar	contrarrevolución	irreconocible	pararrayos
antirrábico	correcto	irredento	prerrafaelista
antirracismo	correligionario	irreductible	prerrománico
antirrégimen	correspondencia	irreflexivo	prerromano
antirreglamentario	corresponder	irregular	prerromanticismo
antirreligioso	derrabar	irregularidad	prerromántico
antirréplica	derrostrarse	irrenunciable	surrealismo
antirrobo	extrarradio	irrescindible	surrealista
birrectángulo	infrarrojo	irresponsabilidad	trirreme
birreme	irracional	irresponsable	vicerrector

Nota:

Cuando los componentes de las palabras compuestas se escriben separados por un guión, no debe duplicarse la r:

anti-robo	hispano-romano	pre-rafaelista	pre-romanticismo
greco-romano	hispano-ruso	pre-renacimiento	radio-receptor

Palabras con doble grafía

La Real Academia Española de la Lengua admite la doble grafía **r** y **rr** en algunas palabras. A continuación indicamos cuáles son y cuál es la escritura que recomienda:

Recomendada	Inusual
aturrullar	*aturullar*
bacará	*bacarrá*
cimborrio	*cimborio*
garapiña	*garrapiña*
garapiñar	*garrapiñar*
harapo	*harrapo*

Uso de la W

La letra **w** fue creada a comienzos de la Edad Media para transcribir la semiconsonante germánica **w**, que no tenía correspondencia en las lenguas románicas, puesto que la **w** latina había pasado a ser labiodental; es, por tanto, una letra ajena al abecedario latino, pero la Real Academia Española de la Lengua la ha admitido en el alfabeto español con el nombre de **uve doble**, para la escritura de los vocablos tomados del alemán y del inglés.

En alemán, la **w** se pronuncia como la **v**; es pues, una verdadera consonante. En inglés tiene el sonido de **u** semiconsonante; sin embargo, esta norma tiene en este idioma multitud de excepciones, y los diptongos en **w**, sobre todo al final de palabra, se pronuncian de manera muy variada.

Por lo tanto, su pronunciación en español, unas veces suena como /**b**/ oclusiva o fricativa y es, pues, una verdadera consonante, como en el caso de las palabras de procedencia germánica: *Wagner, Wenceslao, wolframio*; otras veces suena como **u** semiconsonante; esto ocurre en palabras inglesas: *Washington, Wellington*, etc.

En algunos casos, la Academia admite, además de la palabra extranjera, la forma españolizada:

walón	*valón*	*whisky*	*güisqui*
wellingtonia	*vellintonia*	*wolframio*	*volframio*

Seguida de punto, constituye una abreviatura con varios significados: en geografía, es el símbolo internacional del punto cardinal oeste (en inglés *west*); en metrología, es el símbolo de la unidad de potencia eléctrica *wat* o *watio*; en química, es el símbolo del wolframio y en biología, representa un cromosoma sexual que en las aves corresponde al **y** de los mamíferos.

Se pronuncia como v:

1. En los nombres propios de personajes visigodos:

Walia   Witerico   Witiza   Wamba

2. En nombres propios o derivados procedentes del alemán:

Wagner	Wassermann	Weil	Westfalia
wagneriano	Walker	Weimar	Werner
Walesa	Weber	Weiss	Werther
walquiria	Wegener	Wenceslao	Wilfredo

Se pronuncia como u:

1. En vocablos de procedencia inglesa:

Warwich	Wellington	Wilson	whisky
Washington	Westinghouse	Wimbledon	Whitman
Waterloo	Westminster	Winchester	Woolf
Watt	Wilder	Windsor	Wyoming

2. En palabras totalmente incorporadas al idioma, es frecuente que su grafía haya sido sustituida por la v:

vagón	vals	vatio	vendar
vagoneta	valsear	venda	vermut
varenga	vaselina	vendaje	volframio

Uso de la X y de la S

En algunas ocasiones –como veremos más adelante– la confusión entre las consonantes **x** y **s** es frecuente en la pronunciación y, por consiguiente, este error puede reflejarse en la escritura.

La letra **x** es la única del alfabeto español que transcribe el sonido de un grupo de dos fonemas /**k**/ + /**s**/. Así, *éxodo* se realiza fonéticamente como *éksodo*.

Cuando la **x** es intervocálica, el primer fonema es final de sílaba y el segundo forma la cabeza de la sílaba siguiente: *axioma, boxeo, conexión, exultar, luxación*. En cambio, cuando va delante de otra consonante, los dos fonemas /**k**/ + /**s**/ forman parte de la misma sílaba: *exceso, exposición, extracto, extorsión*. Lo mismo ocurre cuando se encuentra al final de palabra: *Félix, fénix, flux, ónix*.

En la pronunciación de la **x** se suele dar variedad de interpretaciones. Unas veces se pronuncia como **gs**: *égsodo* por *éksodo*, o como **s**, cuando va delante de consonante: *explosión* por *esplosión*; de ahí la dificultad de algunos ante la distinción ortográfica entre, por ejemplo, *excepto* (a excepción de) y *escéptico* (el que duda sobre la posibilidad de conocer la verdad); entre *escita* (habitante de cierta región de Ásia) y *excita* (forma del verbo excitar), y otras palabras.

También suele presentar dificultad –sobre todo entre ceceantes y seseantes– la distinción entre la pronunciación de la **x** equivalente a los fonemas /**k**/ + /**s**/ y la concurrencia consonántica **cc** con sonido equivalente a /**k**/ + /**z**/, como *oxidante* (que oxida) y *occidente* (punto cardinal), o *exceso* (lo que sobra) y *acceso* (entrada, camino).

Por otra parte, debemos recordar que la **x** intervocálica en el español anterior al siglo XVII tiene el valor de la **ch** francesa o de la **sh** inglesa; por lo tanto es erróneo leerla como /**k**/ + /**s**/: *abaxar, dexar, dixieren, dixo, loxuria, mexilla, quexa.*

Se escribe X:

1. Cuando al principio de palabra el grupo ex- va seguido de una vocal o una h:

exacerbar	execrar	exonerar	exhalar
exactitud	exento	exorcista	exhaustivo
exageración	exigencia	exótico	exhibición
exaltar	eximio	exuberancia	exhibir
exámetro	existir	exudar	exhortación
examinar	éxito	exultar	exhorto
exarca	éxodo	exhalación	exhumar

Se exceptúan de esta regla:

esófago, esotérico (oculto) y sus derivados.

2. En las palabras que comienzan con los prefijos latinos ex-, extra-, que significan fuera:

exánime	excomunión	extraer	extraordinario
excarcelar	exculpar	extradición	extrapolar
excavar	exfoliar	extrajudicial	extrarradio
exceder	expatriarse	extralimitarse	extraterrestre
excéntrico	exponer	extramuros	extrasensible
exclaustrar	exportar	extranjero	extraterritorial
excombatiente	expropiar	extraoficial	extraviarse

Conviene no confundir las palabras mencionadas con otras en las que las partículas es- y estra- iniciales no significan fuera:

escapulario	espada	estrago	estraperlo
escarabajo	espantoso	estragón	estrapontín
escaso	espina	estrafalario	estratagema
esconder	espontáneo	estrambote	estratega
escurrir	estrabismo	estrambótico	estrategia
esdrújula	estrabón	estramonio	estratificar
esmero	estrado	estrangular	estrato
esmeralda	estragar	estraperlista	estraza

3. **En el prefijo latino ex-, que significa que fue y ya no es. En este caso, se escribe separado de la palabra que le sigue:**

ex-alumno	ex-concejal	ex-embajador	ex-director
ex-ministro	ex-monarca	ex-presidente	ex-regente
ex-jefe	ex-secretario	ex-dirigente	ex-militar

4. **Delante de las sílabas pla, ple, pli, pre y pri:**

explanación	expletivo	explicitar	expreso
explanada	explicable	explícito	exprimible
explanar	explicación	explicotearse	exprimidera
explayada	explicar	expresar	exprimidor
explayar	explicaderas	expresivo	exprimir

Se exceptúan de esta regla las palabras:

espléndidamente, esplendidez, espléndido, esplendor, esplendoroso y espliego.

5. **En las palabras siguientes y en sus derivadas y compuestas:**

anexión:	anexidad, anexionismo, anexionable.
complexión:	complexidad, complexional, complexionado.
conexión:	conexionar, conexivo, conexidad.
flexión:	flexionar, flexivo, flexionable.

Palabras que no se sujetan a las reglas anteriores:

exceder	excusa	expirar	extremo
excelencia	expansión	exponer	extinguir
excelso	expectación	exportar	extirpar
excepción	expedición	expósito	extracto
excepto	expediente	expulsar	extraer
exceso	expeditivo	expurgar	extranjero
excitar	expensar	éxtasis	extraño
excluir	experiencia	extender	extravagancia
exclusivo	experimento	extenuar	extremo
excremento	experto	exterior	extremidad
excursión	expiar	exterminar	extrínseco

Se excribe S:

1. **En la sílaba es- delante de b, f, g, l, m y q:**

esbelto	esfumar	eslora	esqueje
esbirro	esfumino	eslovaco	esquela
esbozar	esgrafiar	esmalte	esquelético
esbozo	esgrima	esmerado	esqueleto
esfera	esgrimir	esmeralda	esquema
esfinge	esguince	esmeril	esquí
esfínter	eslabón	esmero	esquiar
esfuerzo	eslavo	esmirriado	esquila

Se exceptúan de esta regla:

exquisito y sus derivadas.

Palabras que no pueden incluirse en las reglas anteriormente indicadas:

escabullirse	escepticismo	específico	estandarte
escafandra	escindir	especulación	estanque
escalfar	escisión	espeluznante	estercolero
escalofrío	esclarecer	espetar	estéril
escamoteo	esclavo	espirar	estertor
escampar	esclusa	espolvorear	estipendio
escanciar	escoger	esponja	estipular
escapar	escoria	espontáneo	estirar
escaparate	escozor	espuela	estocada
escape	escrúpulo	espumar	estrago
escapulario	escuálido	estaca	estraperlo
escarabajo	escudriñar	estadio	estremecer
escardar	escultor	estalactita	estreñimiento
escarlata	escupir	estalagmita	estricto
escarmentar	escurrir	estallar	estropajo
escarnecer	espadaña	estambre	estulticia
escarpar	esparcir	estamento	estupefacto
escasez	espasmo	estancia	estupor

Parónimos de S y X *(ver parónimos en Glosario, pág. 279)*

seso (cerebro)	sexo (órgano sexual)
contesto (de contestar)	contexto (entorno lingüístico de una palabra)
escita (de Escitia)	excita (de excitar)
esotérico (oculto)	exotérico (común)
espiar (observar)	expiar (redimir culpas)
espirar (exhalar)	expirar (morir)
esplique (trampa)	explique (explicar)
estática (parada)	extática (suspendida)
estático (parado)	extático (en éxtasis)
estirpe (linaje)	extirpe (extirpar)
lasitud (cansancio)	laxitud (sin rigidez)

Palabras con doble grafía

La Real Academia Española de la Lengua admite que algunas palabras puedan escribirse indistintamente con **s** o con **x**. Sin embargo, prefiere una de las dos grafías, que suele ser la más usual.

Recomendada	**Inusual**
expolio	espolio
mistificación	mixtificación
mistificar	mixtificar
mixtura	mistura

Uso de la D, la Z y la T

La ortografía de estas consonantes no presenta ninguna dificultad si se parte de una pronunciación correcta, aunque los tres sonidos suelen confundirse cuando van al final de palabra o de sílaba.

En efecto, la tendencia a la pronunciación del fonema /d/ en posición final de sílaba puede inducir a error. Unas veces porque se articula como /t/ o como /z/, y otras, porque esa relajación es total y se omite.

Así en áreas de habla catalana –Cataluña, Valencia y comunidades Baleares– hay una tendencia muy marcada a ensordecer la **d** final hasta convertirla en **t**: /amistad/, /Madrid/, /voluntad/ se convierten de este modo en /amistat/, /Madrit/, /voluntat/.

En algunas zonas de Castilla septentrional, en cambio, se convierte la misma **d** final en **z**, y así, las palabras anteriores se convierten respectivamente en /amistaz/, /Madriz/, /voluntaz/.

Cuando se llega a su omisión: /usté/, /verdá/, /salú/ en lugar de /usted/, /verdad/, /salud/, esta supresión, que es un vulgarismo totalmente inaceptable en la lengua escrita, puede extenderse incluso a las formas del plural: /ustés/, /verdás/, y constituye todavía falta más grave si queda reflejada en la escritura.

Lo mismo ocurre con los adjetivos y participios verbales terminados en **-ado** y en **-ido**, en los que también suele omitirse la pronunciación de la **d** intervocálica: /cansao/, /parao/, /salío/ por /cansado/, /parado/ y /salido/. Con menor frecuencia, esta misma incorrección se produce en los sustantivos con esas mismas terminaciones: /condao/, /soldao/, /sonío/, en lugar de /condado/, /soldado/ y /sonido/.

Para evitar que todas estas pronunciaciones erróneas induzcan a confusión y lleguen a reflejarse en la escritura, conviene clarificar las normas que regulan el uso de cada una de estas letras.

Se escriben con D final:

1. Las palabras cuyo plural acaba en -des:

amabilidad	celeridad	humedad	red
amistad	comodidad	lealtad	sociedad
atrocidad	felicidad	majestad	solicitud
beldad	fidelidad	mitad	variedad
calidad	habilidad	novedad	verdad
cantidad	huésped	pared	virtud

2. La segunda persona del plural del imperativo de todos los verbos:

amad	elegid	ignorad	pagad
bebed	enviad	jugad	permitid
comprad	envolved	leed	preguntad
contad	facilitad	llamad	responded
corred	firmad	moved	sacudid
corregid	formad	nadad	temed
decidid	ganad	obtened	vended
donad	haced	poned	venid
dormid	hundid	organizad	volved

También se escriben con d todas las palabras que empiezan por la sílaba ad-:

adherir	adjunción	admirador	adquirir
adherencia	administración	admirar	adquisición
adhesión	administrador	admitir	adquisitivo
adjetivo	administrar	admonición	adscribir
adjuntar	admirable	admonitorio	adsorber
adjunto	admiración	adquirible	adsorción

Se exceptúan:

atlante, atlántico, Atlántida, atlético, atletismo, atlas, atmósfera y atmosférico.

Finalmente, conviene recordar que se escriben con d todos los participios regulares de los verbos de la primera, segunda y tercera conjugación.

acabado	nevado	perdido	dormido
amado	pintado	querido	escindido
besado	tocado	sabido	fundido
colocado	vetado	temido	partido
contestado	comido	vendido	salido
coronado	corrido	aburrido	servido
hablado	movido	cosido	vivido

Se escriben con T final:

1. **Sólo unas cuantas palabras de uso poco frecuente:**

accésit	complot	paquebot	superávit
acimut	déficit	recésit	vermut
cenit	pailebot	salacot	volavérunt

Todas las demás terminan en d:

abad	césped	mendicidad	realidad
adalid	dignidad	merced	salud
amistad	fealdad	necesidad	suciedad
ataúd	generosidad	nulidad	talud
bondad	grandiosidad	ociosidad	terquedad
beldad	lealtad	pared	vanidad

2. **Los gentilicios de origen catalán:**

Agut	Dolcet	Marcet	Salat
Batet	Llaudet	Montagut	Salvat
Canut	Llovet	Roquet	Sensat

3. **Los topónimos procedentes del catalán:**

Agramunt	Hospitalet	Montserrat	Sallent
Espot	Lloret	Poblet	Sort
Falset	Mongat	Rupit	Ullastret

De las palabras que empiezan por la sílaba inversa ad o at, sólo se escriben con t:

atlante	atlantiquense*	atlas	atletismo
atlanticense*	Atlántida	atleta	atmósfera
atlántico	atlantismo	atlético	atmosférico

* Las palabras con asterisco son americanismos.

En cambio, cundo la sílaba inversa inicial es et, siempre debe escribirse t y nunca d:

etcétera	etnia	etnografía	etnología
etmoides	étnico	etnográfico	etnólogo
etnarca	etnocidio	etnógrafo	etnos

Se escriben con Z final:

1. **Las palabras cuyo plural acaba en -ces:**

albornoz	codorniz	hez	rapaz
alcuz	coz	lápiz	regaliz
andaluz	desliz	locuaz	tamiz
barniz	disfraz	lombriz	tapiz
cáliz	eficaz	luz	torcaz
capataz	faz	matiz	veraz
capaz	feliz	nuez	vez
capuz	fugaz	perdiz	voraz
cicatriz	haz	pertinaz	voz

La numeración

En la escritura, la forma habitual de presentar cantidades es a través de números o guarismos. La conveniencia de adoptar tal sistema en libros especializados de tipo científico se justifica por razones prácticas. Asimismo, se sigue esta observancia en los documentos comerciales y es obligatoria en los notariales. Fuera de los contextos citados, es recomendable representar las cantidades numéricas mediante nombres en lugar de cifras:

El ladrón robó diez mil pesetas a la señora que esperaba solitaria en el cuarto andén de la estación la llegada del tren de las diez de la noche, pero medio minuto después fue apresado por tres agentes de la policía que habían sido advertidos de la presencia del ratero tres cuartos de hora antes, a través de una llamada telefónica.

Así pues, los numerales se usan para expresar el orden o la cantidad de forma precisa. Su comportamiento sintáctico y su forma son variables.

Según su significado, distinguimos entre numerales **cardinales**, **ordinales**, **fraccionarios**, **multiplicativos**, **colectivos** y **distributivos**.

Los **cardinales** precisan la cantidad exacta de los sustantivos a los que acompañan y los **ordinales** indican el orden en que está colocado el objeto a cuyo nombre acompañan. Estos últimos aparecen siempre asociados a otros determinantes:

mi *tercer* aniversario
el *segundo* mes del año

la *quinta* fila del cine
el *cuarto* hijo de la familia

A continuación observaremos las reglas ortográficas que corresponden a cardinales, ordinales, fraccionarios, multiplicativos así como a la utilización de la numeración romana. Los colectivos y los distributivos no presentan ninguna dificultad en su escritura, ya que siguen las normas ortográficas generales.

Cardinales

Los números cardinales son los que designan el número de los elementos de un conjunto o bien el nombre de los números enteros.

En este grupo no varía el morfema de *número*: *uno* es singular y todos los demás son plurales. En cuanto al género, *uno* y todos los numerales cardinales acabados en *uno* pueden ser también femeninos: *una, veintiuna,* y *treinta y una*. Igualmente tienen variación de género las centenas: *doscientos, doscientas...* Algunos numerales cardinales se forman con una sola palabra, que puede ser simple o compuesta:

uno	*doce*	*veintiocho*
siete	*dieciséis*	*veintinueve*
diez	*veintiuno*	*treinta*

A partir del **treinta y uno**, los números se escriben formando dos palabras, excepto en las decenas y las centenas:

treinta y tres	*setenta y dos*	*sesenta*
cuarenta y cuatro	*ochenta y seis*	*doscientas*
cincuenta y cinco	*noventa y nueve*	*novecientos*

Igualmente, a partir de *ciento* los números se forman por *yuxtaposición,* es decir, se suprime la conjunción y:

ciento uno	*doscientos cincuenta*	*veinte mil*
doscientos dos	*mil cuatrocientos*	*un millón diez mil*

La forma *cien,* apócope de *ciento,* sólo es correcta cuando precede al sustantivo; es decir, en función adjetiva:

Llegaron cien invitados a la recepción.
Preparé cien copias de la nueva edición.

Finalmente, todos los numerales compuestos por **-uno**, pierden la **-o** cuando van seguidos del sustantivo en género masculino al que acompañan:

un ratón	*cincuenta y un pájaros*	*mil y un detalles*
veintiún cuadros	*setenta y un pupitres*	*treinta y un libros*
cuarenta y un chicos	*ciento un autobuses*	*noventa y un cuartetos*

A continuación sigue el listado de su correcta escritura:

0	cero
1	uno (*apóc.* un), *f.* una
2	dos
3	tres
4	cuatro
5	cinco
6	seis
7	siete
8	ocho
9	nueve
10	diez
11	once
12	doce
13	trece
14	catorce
15	quince
16	dieciséis (*raro* diez y seis)
17	diecisiete (*raro* diez y siete)
18	dieciocho (*raro* diez y ocho)
19	diecinueve (*raro* diez y nueve)
20	veinte
21	veintiuno (*apóc.* veintiún), *f.* veintiuna
22	veintidós
23	veintitrés
24	veinticuatro
25	veinticinco
26	veintiséis
27	vientisiete
28	veintiocho
29	veintinueve
30	treinta
31	treinta y uno (*apóc.* treinta y un), *f.* treinta y una
32	treinta y dos
33	treinta y tres
34	treinta y cuatro
35	treinta y cinco
36	treinta y seis
37	treinta y siete

38	treinta y ocho
39	treinta y nueve
40	cuarenta
41	cuarenta y uno (*apóc.* cuarenta y un), *f.* cuarenta y una
42	cuarenta y dos
50	cincuenta
51	cincuenta y uno (*apóc.* cincuenta y un), *f.* cincuenta y una
60	sesenta
70	setenta
80	ochenta
90	noventa
100	ciento (*apóc.* cien)
101	ciento uno (*apóc.* ciento un), *f.* ciento una
102	ciento dos
103	ciento tres
104	ciento cuatro
105	ciento cinco
110	ciento diez
111	ciento once
112	ciento doce
120	ciento veinte
121	ciento veintiuno (*apóc.* -ún), *f.* -una
122	ciento veintidós
150	ciento cincuenta
160	ciento sesenta
180	ciento ochenta
190	ciento noventa
200	doscientos, *f.* doscientas
201	doscientos uno (*apóc.* doscientos un), *f.* doscientas una
202	doscientos dos, *f.* doscientas dos
203	doscientos tres, *f.* doscientas tres
204	doscientos cuatro, *f.* doscientas cuatro
300	trescientos, *f.* trescientas *(sigue igual que los doscientos)*
400	cuatrocientos, *f.* cuatrocientas
500	quinientos, *f.* quinientas
600	seiscientos, *f.* seiscientas
700	setecientos, *f.* setecientas
800	ochocientos, *f.* ochocientas
900	novecientos, *f.* novecientas
1 000	mil

1 001	mil uno (*apóc.* mil un), *f.* mil una
1 002	mil dos
1 003	mil tres
1 004	mil cuatro
1 100	mil ciento (*apóc.* mil cien)
1 101	mil ciento uno (*apóc.* ...un), *f.* ...una
1 102	mil ciento dos
1 103	mil ciento tres
1 104	mil ciento cuatro
1 200	mil doscientos, *f.* mil doscientas
1 201	mil doscientos uno (*apóc.* ...un), *f.* ...una
1 300	mil trescientos, *f.* mil trescientas
1 400	mil cuatrocientos, *f.* mil cuatrocientas
1 500	mil quinientos, *f.* -as
1 600	mil seiscientos, *f.* -as
1 700	mil setecientos, *f.* -as
1 800	mil ochocientos, *f.* -as
1 900	mil novecientos, *f.* -as
2 000	dos mil
2 001	dos mil uno (*apóc.* ...un), *f.* ...una
2 002	dos mil dos
2 003	dos mil tres
2 004	dos mil cuatro
2 005	dos mil cinco
2 100	dos mil ciento (*apóc.* ...cien)
3 000	tres mil
4 000	cuatro mil
5 000	cinco mil
10 000	diez mil
11 000	once mil
12 000	doce mil
20 000	veinte mil
21 001	veintiún mil uno (*apóc.* ...un), *f.* veintiún mil una
30 000	trenta mil
40 000	cuarenta mil
100 000	cien mil
200 000	doscientos (*f.* doscientas) mil
300 000	trescientos (*f.* trescientas) mil
999 999	novecientos (*f.* -as) noventa y nueve mil novecientos (*f.* -as) noventa y nueve

1 000 000	un millón
1 000 001	un millón uno (*apóc.* ...un), *f.* ...una
1 000 010	un millón diez
1 000 100	un millón ciento (*apóc.* ...cien)
1 001 000	un millón mil
1 010 000	un millón diez mil
1 100 000	un millón cien mil
1 825 374	un millón ochocientos (*f.* -as) vienticinco mil trescientos (*f.* -as) setenta y cuatro
2 000 000	dos millones
2 000 100	dos millones ciento (*apóc.* ...cien)
2 001 000	dos millones mil
3 000 000	tres millones
10 000 000	diez millones
100 000 000	cien millones
1 000 000 000	mil millones
1 000 000 000 000	un billón

Notas:

Las denominaciones que, entre el 16 y el 19, constan de tres palabras las admite la Academia, pero es preferible no usarlas.

En expresiones como *treinta y un mil pesetas*, es ésta la grafía correcta, y no *treinta y una mil pesetas*, ya que *un* se refiere a *miles* (30.000 + 1.000 = 31.000 [trenta y un mil] y no a *pesetas*). Sin embargo, en *Las mil y una noches* es ésta la grafía correcta, y no *las mil y un noches*, ya que *una* se refiere a noches (mil + una) y no a *miles*. Tampoco es correcto *veintiún pesetas* en lugar de *veintiuna pesetas*.

Un *billón* debe escribirse con la unidad seguida de doce ceros; un *trillón*, de la unidad seguida de dieciocho ceros; un *cuatrillón*, de la unidad seguida de veinticuatro cero.

Debemos tener en cuenta que un *billón* es, usualmente, un millón de millones; en cambio en Francia y Norteamérica, equivale sólo a un millar de millones. Es importante el conocimiento de este dato para las traducciones del francés o del inglés.

Como ya se ha dicho antes, **en los escritos de carácter no matemático, se recomienda representar los números con palabras.** Sin embargo, en ciertos casos pueden escribirse con cifras. Veamos a continuación cuáles son los casos en que deben escribirse en uno u otro modo:

193

Los números cardinales se escriben con cifras en los siguientes casos:

1. **Los horarios.** Las horas y sus fracciones se separan con puntos, puesto que son fracciones sexagesimales. Por tanto, es incorrecto separarlos con coma.

El avión sale a las 10.40 y llega a las 11.55.
Este establecimiento permanece abierto de 9.00 a 23.00.
Los pases de la película son a las 16.00, 17.45 y 19.40.

2. **Las cantidades concretas superiores a nueve:**

Este edificio mide 10 metros de alto.
El pastel tiene 24 velitas.
El colegio posee 32 aulas.

3. **Las fechas, excepto en algunos documentos oficiales, en que se transcriben enteramente con letra.**

Las Olimpiadas se celebraron en 1992.
Nació en 1949.
Descubrieron la mina en 1832.

Como hemos visto, los números que expresan fechas no se separan con puntos. Esta norma es extensiva a toda cantidad compuesta de cuatro cifras:

La distancia era de 1895 millas.
La cosecha superó los 6500 quintales.
En una semana recorrimos más de 1580 km.

4. **Cuando en un fragmento aparecen varios números relativos a cantidades de cosas heterogéneas:**

Compró 17 camisas, 8 pantalones y 3 pares de zapatos.
En la subasta se adjudicaron 50 vacas y 30 terneros.
La superficie de la finca es de 120 ha y 4 a.

5. **Las horas del día seguidas de las abreviaturas A.M. O P.M., que proceden del idioma inglés y pueden traducirse por** *antes del mediodía* **y** *después del mediodía,* **respectivamente:**

Llegamos a las 3:00 P.M.
Volvieron a las 4:00 P.M.
Cerramos a las 2:00 A.M.

6. **Los grados de temperatura:**

La fiebre le llegó a 40º centígrados.
En un horno de cocina la temperatura alcanza los 290º C.
El grado de fusión del plomo es 327º C.

7. **La edad de alguien expresada en años, meses y días:**

Llegó a los 20 años y 3 meses.
Tenía 7 años, 2 meses, 3 días.
Alcanzó los 100 años y 3 días.

8. **La duración de un período de tiempo expresado en siglos, lustros, años, meses y días:**

La guerra duró 20 años, 8 meses y 7 días.
El período electoral tuvo una duración de 3 meses y 4 días.
Los cuadros han estado expuestos durante 2 meses y 10 días.

9. **Los números de teléfono, dígitos, códigos postales y documentos:**

Llama al 003.
Nadie responde en el 38 40 62.
Vive en el distrito postal 08032 de Barcelona.
Corresponde al documento 3082.

10. **Las fracciones decimales se separan con coma, y no con apóstrofo (')**:

22,13   30,45   11,86

En las cantidades escritas con cifras, los millares, millones, millares de millones, billones, sólo se separan con espacios, y no con puntos:

5 380 620   4 804 304   6 322 415

Los números cardinales se escriben con letras en:

1. **Los números dígitos (del uno al nueve):**

   Le pidió cinco cafés.
   Quiero nueve ejemplares del 2.º Curso de matemáticas.
   Pásame tres bocadillos.
   Hoy he trabajado seis horas.

2. **El tiempo pasado y el que es necesario para hacer algo:**

   Hace veinte años que llegué aquí.
   Emplearé cinco días en acabar el trabajo.
   Estuvo cuarenta días para regresar de Jamaica.
   Necesito dos horas para arreglar la cocina.

3. **Una cantidad inexacta:**

   Contarían con veinte cañones más o menos.
   Tenían menos de treinta hombres.
   Llevarían unos doce años juntos.
   Forman un grupo de cuarenta o cincuenta personas.

4. **Fechas y datos en documentos oficiales:**

   Buenos Aires, a cinco de enero de mil ochocientos setenta y tres.
   Barcelona, a treinta de diciembre de mil novecientos noventa.
   Bruselas, a tres de agosto de mil novecientos ochenta.
   París, a diecinueve de noviembre de mil quinientos veinte.

5. **Las horas del día, cuando no les siguen las abreviaturas A.M. o P.M.** (Ver página 195 sobre el significado de estas abreviaturas.)

   El avión aterrizó a las ocho de la tarde.
   La salida del tren está anunciada para las diez de la noche.
   Nos encontraremos a las doce del mediodía.
   La función empieza a las nueve de la noche.

6. **La edad de una persona se escribe con letra si sólo se refiere a los años:**

Tengo cuarenta y tres años.
Murió a los setenta años.

7. **Porcentajes:**

Los porcentajes suelen escribirse con letras, pero en algunos casos pueden escribirse también con cifras.

El coste de la vida ha subido un quince por ciento.
Las rebajas son de un diez por ciento.
El incremento de los presupuestos es de un cinco por ciento.

Por lo tanto, las formas correctas de representación de porcentajes son las siguientes:

10 %	*10‰*
10 por 100	*10 por 1 000*
diez por ciento	*diez por mil*

Ante estas expresiones no debe escribirse nunca artículo, aunque la extensión de este uso ha convertido su empleo en algo permisivo. Además, en las expresiones 10 %, 20 %, 30 %..., debemos decir diez por ciento, veinte por ciento, treinta por ciento, etc., en lugar de por cien.

8. **Las cifras que forman una cantidad no deben separarse a final de renglón, ni siquiera colocando la barra (/). Esta norma se extiende a aquellas cantidades que van separadas por guión pero que se relacionan de alguna forma:**

Juan Rodríguez (1820-1932)   *Vivió entre 1580-1612*

9. **Una cantidad expresada en cifras no debe empezar párrafo o frase. Si es preciso hacerlo, debe escribirse con letra:**

Ciento treinta condados se unificaron.
Veinte paracaidistas tocaron tierra a la vez.
Doce cuadros fueron subastados.

Ordinales

Los numerales **ordinales** se usan para indicar el orden de sucesión en que se halla el sustantivo al que acompañan. Su género es variable y depende del nombre al que se refieren.

La numeración ordinal se usa casi exclusivamente en lenguaje técnico. La lengua coloquial sólo emplea los ordinales hasta el diez o el doce, sustituyéndolos luego por los partitivos. Se dice, por ejemplo, que un *coche llegó en el catorceavo lugar*, cuando debería decirse en el *decimocuarto lugar*. Lo cierto es que existe vacilación incluso con los diez primeros ordinales: *Alfonso décimo* y *Alfonso diez*.

Lo correcto, si se quieren eludir los ordinales, a partir del décimo, es usar los *cardinales*: la *decimoquinta edición* o la *quince edición*.

Se apocopan *primero* y *tercero* cuando preceden a un sustantivo masculino:

Quedó en primer lugar.
Dejó el tercer escaño.

A continuación sigue una relación de los números ordinales con su correcta escritura:

1.º	primero (*apóc.* primer), primera
2.º	segundo, -a
3.º	tercero (*apóc.* tercer), tercera
4.º	cuarto, -a
5.º	quinto, -a
6.º	sexto, -a
7.º	séptimo, -a
8.º	octavo, -a
9.º	noveno, -a (*raro* nono, -a)
10.º	décimo, -a
11.º	undécimo, -a (y no decimoprimero)
12.º	duodécimo, -a (y no decimosegundo)
13.º	decimotercero, -a (o decimotercio, -a)
14.º	decimocuarto, -a
15.º	decimoquinto, -a
16.º	decimosexto, -a
17.º	decimoséptimo, -a
18.º	decimoctavo, -a
19.º	decimonoveno, -a (o decimonono, -a)

20.º	vigésimo, -a
21.º	vigésimo (-a) primero (-a) (o vigesimoprimero)
22.º	vigésimo (-a) segundo (-a) (o vigesimosegundo)
30.º	trigésimo, -a
31.º	trigésimo (-a) primero (-a)
32.º	trigésimo (-a) segundo (-a)
40.º	cuadragésimo, -a
50.º	quincuagésimo, -a
60.º	sexagésimo, -a
70.º	septuagésimo, -a
80.º	octogésimo, -a
90.º	nonagésimo, -a
100.º	centésimo, -a
101.º	centésimo (-a) primero (-a)
102.º	centésimo (-a) segundo (-a)
110.º	centésimo (-a) décimo (-a)
200.º	ducentésimo, -a
300.º	tricentésimo, -a
400.º	cuadringentésimo, -a
500.º	quingentésimo, -a
600.º	sexcentésimo, -a
700.º	septingentésimo, -a
800.º	octingentésimo, -a
900.º	noningentésimo, -a
999.º	noningentésimo nonagésimo noveno
1 000.º	milésimo, -a
1 864.º	milésimo octingentésimo sexagésimo cuarto
2 000.º	dosmilésimo, -a
3 000.º	tresmilésimo, -a
4 000.º	cuatromilésimo, -a
10 000.º	diezmilésimo, -a
100 000.º	cienmilésimo, -a
500 000.º	quinientosmilésimo, -a
1 000 000.º	millonésimo, -a
10 000 000.º	diezmillonésimo, -a
100 000 000.º	cienmillonésimo, -a
1 000 000 000.º	milmillonésimo, -a

Fraccionarios

Los llamados partitivos o fraccionarios indican cada una de las partes o fracción en que se divide la unidad. Veámoslos a continuación:

1/2 mitad, medio
1/3 tercio, -a
1/4 cuarto, -a
1/5 quinto, -a
1/6 sexto, -a
1/7 séptimo, -a
1/8 octavo, -a
1/9 noveno, -a
1/10 décimo, -a
1/11 onzavo, -a (u onceavo, -a)
1/12 dozavo, -a (o doceavo, -a)
1/13 trezavo, -a (o treceavo, -a)
1/14 catorzavo, -a (o catorceavo, -a)
1/15 quinzavo, -a (o quinceavo, -a)
1/16 dieciseisavo, -a
1/17 diecisieteavo, -a
1/18 dieciochavo, -a (o dieciochoavo, -a)
1/19 diecinueveavo, -a
1/20 veintavo, -a (o veinteavo, -a)
1/21 veintiunavo, -a
1/22 veintidosavo, -a
1/23 veintitresavo, -a
1/24 veinticuatroavo, -a
1/25 veinticincoavo, -a
1/26 veintiseisavo, -a
1/30 treintavo, -a
1/31 treintaiunavo, -a
1/32 treintadosavo, -a
1/40 cuarentavo, -a
1/50 cincuentavo, -a
1/60 sesentavo, -a
1/70 setentavo, -a
1/80 ochentavo, -a
1/90 noventavo, -a
1/100 céntimo, -a, centavo, -a, centésimo, -a

1/120	cientoveinteavo, -a
1/130	cientotreintavo, -a
1/200	doscientosavo, -a
1/300	trescientosavo, -a
1/400	cuatrocientosavo, -a
1/500	quinientosavo, -a
1/600	seiscientosavo, -a
1/700	setecientosavo, -a
1/800	ochocientosavo, -a
1/900	novecientosavo, -a
1/1000	milavo, -a

En esta selección figura la terminología de los fraccionarios más usuales, que también suelen indicarse empleando el ordinal seguido de la palabra parte:

1/8 octavo o una octava parte.
1/12 doceavo o una doceava parte.

No es correcto utilizar las formas partitivas por las ordinales, como a veces se ve y oye; así el *onceavo puesto* debe escribirse y decirse *el undécimo puesto; el duodécimo piso*, y no el *doceavo piso*.

Las grafías *onceavo, doceavo, treceavo, catorceavo, quinceavo, dieciochoavo* y *veinteavo* han sido admitidas ya por la Academia que las prefiere a las grafías anteriores: *dozavo, trezavo*, etc.

Multiplicativos

Expresan un producto según el valor numérico del multiplicador. Son los siguientes:

2	doble, duplo
3	triple, -o
4	cuádruple, -o
5	quíntuple, -o
6	séxtuplo
7	séptuplo
8	óctuple, -o
9	nónuplo
10	décuplo
11	undécuplo
12	duodécuplo
100	céntuplo

Usualmente, los numerales múltiplos se obtienen de añadir a la raíz ordinal del número correspondiente la terminación **-ple** o **-plo**, esta última con su femenino **-pla**.

Sin embargo, esta norma no puede entenderse como algo general, ya que en la práctica, para los que no figuran en esta lista anterior, suele utilizarse el número cardinal seguido de *veces mayor*.

13	trece veces mayor
14	catorce veces mayor
15	quince veces mayor
20	veinte veces mayor
30	treinta veces mayor
50	cincuenta veces mayor
120	ciento veinte veces mayor
150	ciento cincuenta veces mayor
200	doscientas veces mayor
250	doscientas cincuenta veces mayor
1 000	mil veces mayor
10 000	diez mil veces mayor
20 000	veinte mil veces mayor
100 000	cien mil veces mayor
200 000	doscientas mil veces mayor

Los múltiplos pueden emplearse como sustantivos y como adjetivos. En este último caso puede utilizarse antes o después del nombre:

«doble asesinato» o *«asesinato doble»*
«triple sorpresa» o *«sorpresa triple»*

Cuando se trata de cantidades más elevadas, siempre van pospuestos.

El prefijo sesqui

Es una voz latina poco utilizada actualmente que se usa en algunas palabras compuestas para expresar **una unidad y media** en el peso o medida de las cosas: *sesquihora* significa una hora y media.

Se ha celebrado el sesquicentenario (150 años) de la independencia de Venezuela

La numeración romana

En la numeración romana la representación de los números se hace con letras. Estas representaciones suelen emplearse para numerar actos y escenas en obras teatrales; capítulos o partes en libros y tomos; siglos, dinastías y milenios; tablas o láminas; y para numerar reyes, concilios, congresos, certámenes o ferias.

La numeración romana utiliza solamente siete letras del alfabeto, escritas siempre en mayúscula, cuyo valor o equivalencia es la siguiente:

I	V	X	L	C	D	M
1	5	10	50	100	500	1.000

1. **Si una letra va seguida de otra de igual o de menor valor, entonces el valor de ambas debe sumarse:**

II: 1 + 1 (= 2)   *XI: 10 + 1 (= 11)*   *LI: 50 + 1 (= 51)*
VI: 5 + 1 (= 6)   *XII: 10 + 1 + 1 (= 12)*   *LV: 50 + 5 (= 55)*
XV: 10 + 5 (= 15)   *XX: 10 + 10 (= 20)*   *DX: 500 + 10 (= 510)*
XVII: 10 + 5 + 2 (= 17)   *XXX: 10 + 10 + 10 (= 30)*   *CC: 100 + 100 (= 200)*

2. **Si un signo sigue a otro de mayor valor, se le resta el valor del primero, teniendo en cuenta que I sólo se puede restar de V o de X y que X sólo se puede restar de L o de C:**

XL: 50 – 10 (= 40)   *CD: 500 – 100 (= 400)*   *IX: 10 – 1 (= 9)*
XC: 100 – 10 (= 90)   *CM: 1000 – 100 (= 900)*   *IV: 5 – 1 (= 4)*

3. **Si entre dos signos hay uno de menor valor, éste se resta del que le sigue:**

XIV: 10 + (5 – 1) (= 14)   *XIX: 10 + (10 – 1) (= 19)*   *DIX: 500 + (10 – 1) (= 509)*
LIV: 50 + (5 – 1) (= 54)   *CXL: 100 + (50 – 10) (= 140)*   *CVL: 100 + (50 – 5) (= 145)*
CIX: 100 + (10 – 1) (= 109)   *DIV: 500 + (5 – 1) (= 504)*   *MIV: 100 + (5 – 1) (= 1004)*
LIX: 50 + (10 – 1) (= 59)   *CIV: 100 + (5 – 1) (= 104)*   *DXL: 500 + (50 – 10) (= 504)*

4. **Las letras V, L y D no pueden restarse de ninguna otra letra.**

5. **Las letras V, L y D no pueden repetirse dos veces seguidas, puesto que la suma de sus valores unitarios puede representarse por otra letra:**

* VV ——— X   * LL ——— C   * DD ——— M

En el siglo XVIII la **Real Academia Española de la Lengua** *editó la primera ortografía.*
La inscripción reza: «Juan López. MCMXXI».

6. **Nunca se coloca un cero voladito (º) detrás de una cifra romana.**

7. **Las letras pueden repetirse un máximo de tres veces seguidas:**

XXX   *XVIII*   *XXXIII*

8. **Cada raya horizontal colocada sobre una o varias letras multiplica su valor por mil**

$\overline{V}$: 5.000 $\overline{M}$: 1.000.000 $\overline{C}$: 100.000

Abreviaturas, siglas y acrónimos

La abreviatura es la representación de una palabra por una o alguna de sus letras.

Es un error frecuente suponer que las abreviaturas son propias sólo de nuestros días. Los griegos y romanos ya las usaron en sus documentos con el fin de evitar la repetición de algunos vocablos de notable frecuencia. También en documentos medievales se abreviaron fórmulas como saludos, despedidas, o tratamientos de cortesía. Su uso se difundió tanto en la Edad Media que se llegó al abuso y tuvo que regularse e incluso prohibirse.

La llegada de la imprenta no supuso ningún cambio en este aspecto, pues los impresores siguieron la misma técnica. Sin embargo, paulatinamente aumentó la tendencia a prescindir de abreviaturas en muchos casos y, así, la abreviación casi desapareció en el siglo XVII.

En la actualidad, el número de abreviaturas aumenta sin cesar porque a las que permanecen desde tiempos antiguos se han ido añadiendo otras muchas nuevas que contribuyen a que su utilización sea cada vez más compleja, porque unas son duraderas, otras efímeras y hay que tener en cuenta, también, las que emplean los especialistas de cada una de las diferentes materias y profesiones, aunque su uso sea, a veces, más restingido.

Las siglas son las letras iniciales que se usan como abreviaturas de una palabra: *INRI de Iesus Nazarenus Rex Iudeorum*.

El acrónimo consiste en la representación del nombre de una institución u organismo por la abreviatura que resulta de juntar letras

iniciales o siglas de varias palabras: *Laser de Light amplification by stimulated emission of radiation.*

La diferencia entre *sigla* y *acrónimo* radica en que la sigla presenta una forma gráfica especial, mientras que el acrónimo pasa a ser una palabra más de la lengua, que se escribe en minúscula y puede tener morfemas de género y número Este último es un procedimiento muy corriente en la actualidad y, en algunos casos, se han llegado a formar así nombres que denominan partidos políticos, sindicatos, entidades, productos comerciales, etc. Son, pues, dos maneras distintas de abreviar.

La utilización de las siglas transgrede algunas veces las normas de la morfología. El plural, por ejemplo, se consigue duplicando la inicial: *EEUU (Estados Unidos), NBAAEE (Nueva Biblioteca de Autores Españoles).* El género, unas veces se adapta y otras no.

Por otra parte, la *abreviatura* o el acortamiento de una palabra suprimiendo su terminación, lleva a nuevos problemas. Plantea, por ejemplo, la existencia de sustantivos femeninos acabados en *-o*: *la moto, la foto, etc.*

Hoy en día, nuestra vida social y profesional nos exige su utilización y, por tanto, su conocimiento.

Abuso de las abreviaturas

Es evidente que la utilización de abreviaturas constituye un método útil para aplicar en un texto escrito la gran profusión de nombres de organismos e instituciones políticas, asociaciones económicas e industriales, términos científicos y tecnológicos, etc., que las circunstancias del mundo moderno nos aportan; pero no es conveniente abusar de ellas, hay que utilizarlas con moderación, porque su proliferación, su uso desmesurado puede conducir a la confusión e, incluso, a la incomunicación.

Veamos el texto siguiente, que sirve de perfecta ilustración a lo que acabamos de comentar:

«*Y, para que no falte nada, aún queda el lenguaje de las siglas, de las que habría que ir pensando en publicar un diccionario, si es que no se ha publicado ya, para estar al tanto de lo que se lee y se oye cada día: está en COU, trabaja de ATS, es del PECÉ, ha retocado la LAU, es cosa de la EMT, a ver qué decide hoy la CEOE, hay polémica en el CSD, esperan un préstamo del ICO. Parece que hemos hecho realidad aquella famosa frase de Eugenio d'Ors: "¿Está clara la cosa? pues oscurezcámosla".»*

Luis de Castresana: *Contra las siglas y el lenguaje críptico.*

Observemos también este poema de Dámaso Alonso cuyo tono irónico confirma el abuso a que se ha llegado en la utilización de las siglas:

La invasión de las siglas

USA, URSS.
USA, URSS, OAS, UNESCO:
ONU, ONU, ONU,
TWA, BEA, K.L.M., BOAC
¡RENFE, RENFE, RENFE!

FULASA, CARASA, RULASA
CAMPSA, CUMPSA, KIMPSA;
FETASA, FITUSA, CARUSA;
¡RENFE, RENFE, RENFE!

¡S.O.S., S.O.S, S.O.S,
S.O.S., S.O.S., S.O.S.! [...]

Legión de monstruos que me agobia,
fríos andamiajes en tropel:
yo querría decir Madre, amores, novia;
querría decir vino, pan, queso, miel.
¡Qué ansia de gritar
muero, amor, amar!

Dámaso Alonso: *Dámaso Alonso para niños.*

Basta hojear cualquier periódico o revista para cerciorarse del gran muestrario de abreviaturas y siglas que aparecen en sus páginas. Los diccionarios especializados registran ya cerca de quince mil y, afortunadamente, ni todas ellas son de uso corriente ni el lector sabe el significado de la mayoría. Además, su interpretación se ve entorpecida por el hecho de que algunas tienen una dimensión internacional, que, por lo general, se fijan partiendo del idioma inglés, y sus iniciales no se corresponden con las de las palabras de otras lenguas. Así ocurre, por ejemplo, con USA = United State of America (Estados Unidos de América) o FAO = Food and Agriculture Organization (Organización para la Alimentación y la Agricultura).

Con todo, si en algunas ocasiones debemos emplearlas, es aconsejable recordar las siguientes pautas:

1. **Deben figurar en ellas casi todas las consonantes, sobre todo si van juntas, y no pueden acabar en vocal, excepto si es la última letra de la palabra:** *gralte.* (generalmente).
2. **Deben acabar en un punto (excepto unidades de medida y monetarias).**
3. **Conservan el acento.**
4. **Al abreviar una palabra compuesta o varias palabras que van juntas, deben escribirse sus respectivas iniciales:** *P.D.* (postdata).
5. **No debemos utilizarlas al final de párrafo, excepto** *etc.* (etcétera).
6. **No es correcto utilizar abreviaturas como** *a. de J.C.* o *Km, m* **si no van precedidas de una cifra.**
7. **Para emplearlas en plural debemos observar las reglas que figuran a continuación:**

1. **Duplicando cada una de sus letras.** En el caso de las abreviaturas cuyas letras van seguidas cada una de su punto: el plural de *S.A.R.* (Su Alteza Real) será *SS.AA.RR.,* el de *F.C.* (ferrocarril) será *FF.CC.* y el de *O.M.* (Orden ministerial), *OO.MM.*

2. **Añadiendo una -s o la sílaba -es,** según la regla general de la formación del plural: el plural de *Sr.* (señor) será *Sres., Dr.* (doctor) y *Srta.* (señorita) tendrán como plurales *Dres.* y *Srtas.,* respectivamente.

La mayoría de abreviaturas no admiten plural porque su forma en singular es aplicable a los dos números. Esto ocurre en las del sistema métrico decimal: *m* (metro), *Dl* (decalitro), *Hg* (hectogramo), etc.; sexagesimal: *m* (minuto), *s* (segundo), y otros sistemas. También las hay que no admiten plural por su significado: a.C. (antes de Cristo), a.J.C. (antes de Jesucristo), a D.g. (a Dios gracias) y algunas pocas más.

Tabla de abreviaturas

Cualquier intento de establecer una relación completa de abreviaturas usuales de la lengua española será tarea ingente, por no decir imposible, puesto que hay una infinidad de ellas en diccionarios, bibliografías, catálogos, libros especializados, etc. Por esta razón, tales obras incluyen un listado para identificarlas.

A continuación presentamos una extensa relación en la que figuran las abreviaturas publicadas en la lista de la Real Academia Española y algunas más acreditadas por su uso.

Abreviaturas más usuales en la lengua española

(a)	alias
AA.	Autores
abrev.	abreviatura
A.C.	año de Cristo
a.C.	antes de Cristo
acep.	acepción
acus.	acusativo
a D.g.	a Dios gracias
a. de J.C.	antes de Jesucristo
adj.	adjetivo
adv.	adverbio
aer.	aeronáutica
agr.	agricultura
agrim.	agrimensura
AISA	Asociación Internacional para la Seguridad Aérea
alim.	alimentación
álg.	álgebra.
a.m.	antes del mediodía
amb.	ambiguo (nombre)
Amér.	América
Amér. C.	América Central
Amér. Merid.	América Meridional
anat.	anatomía
angl.	anglicismo
ANRPC	Asociación de Países de Caucho Natural
ant.	antiguamente
ap.	aparte
apóc.	apócope
aprox.	aproximadamente
Arg.	Argentina
arit.	aritmética
arq.	arquitectura
art., art.º	artículo
astron.	astronomía
ATS	Ayudante Técnico Sanitario
aum.	aumentativo
aux.	auxiliar (verbo)
AVE	Tren de Alta Velocidad

B	bien
b.a.	bellas artes
bact.	bacteriología
Bib.	Biblia
Bibliogr.	Bibliografía
biol.	biología
bit	En informática, unidad mínima de información
B.O.E.	Boletín Oficial del Estado
Bol.	Bolivia
bot.	botánica
box.	boxeo
BUP	Bachillerato Unificado Polivalente
byte	En informática, unidad de memoria compuesta por un número variable de bits
cap., cap.ª	capítulo
CARPAS	Comisión Asesora Regional de Pesca para el Atlántico Sud-Occidental
cast.	castellano
C.E.C.A.	Comunidad Europea del Carbón y Acero
C.E.O.E.	Comunidad Económica Europea
C.F.	Club de Fútbol
cf.	compárese
cf.	confesor
cir.	cirugía
circ.	circunferencia
climat.	climatología
Col.	Colombia
col.	columna
colect.	colectivo
com.	comercio
com.	común (nombre)
conj.	conjunción
conjug.	conjugación
constr.	construcción
cont.	continuación
contracc.	contracción
COU	Curso de Orientación Universitaria
C.S.I.C.	Consejo Superior de Investigaciones Científicas
cte.	corriente
C. Rica	Costa Rica

Chil.	Chile
dat.	dativo
dcha.	derecha
defect.	defectivo (verbo)
dem.	demostrativo
dep.	deporte
der.	derivado
desp.	despectivo
desus.	desusado
deter.	determinado
dialect.	dialecto
dirtor. /a	director, directora
distrib.	distributiva (conjunción)
D.m.	Dios mediante
D.N.I.	Documento Nacional de Identidad
Domin.	Domingo
drcha.	derecha
drcho.	derecho
dupdo.	duplicado
E.	Este
ECLAC	Comisión Económica y Social para la América Latina y el Caribe
EE.UU.	Estados Unidos
Ecua.	Ecuador
ed.	edición
elec.	electricidad
electrón.	electrónica
E.M.	Estado Mayor
ENE	Este-Nordeste
entlo.	entresuelo
ESE	Este-Sudoeste
esp.	español
esp.	especialmente
etc.	etcétera
etim.	etimología
exp.	expresión
exp. adv.	expresión adverbial
exp. fig.	expresión figurada
exp. lat.	expresión latina
ext.	extensión

f.	femenino
fam.	familiar
F.A.O.	Organización de las Naciones Unidas para la Agricultura y la Alimentación
farm.	farmacia
F.C., f.c.	ferrocarril
FIFA	Federación Internacional de Fútlbol Asociación
FIFUSA	Federación Internacional de Fútbol Sala
fig.	figurado
fil.	filosofía
fís.	física
fisiol.	fisiología
f.º o fol.	folio
folk.	folklore
fon.	fonética
fonol.	fonología
for.	forense
fort.	fortificación
fot.	fotografía
fotogr.	fotografía
f. pl.	femenino plural
fr.	francés
fr.	frase
fund.	fundador
fut.	futuro
gastr.	gastronomía
gén.	género
genit.	genitivo
geol.	geología
geom.	geometría
ger.	gerundio
germ.	germanismo
gimn.	gimnasia
gót.	gótico
gr.	griego
gral.	general
gralte.	generalmente
gram.	gramática
grecolat.	grecolatino
Guat.	Guatemala

h.	hora
Hi-Fi	Alta Fidelidad
hist.	historia
hist. nat.	historia natural
Hond.	Honduras
hosp.	hospital
IATA	Asociación Internacional de Transporte Aéreo
ICONA	Instituto Nacional para la Conservación de la Naturaleza
ib., íbid.	ibídem (en la misma obra citada)
íd.	ídem (en el mismo autor)
imper.	imperativo
impers.	impersonal (verbo)
impr.	imprenta
indef.	indefinido
indet.	indeterminado
indic.	indicativo
infinit.	infinitivo
inform.	informática.
ingl.	inglés
insep.	inseparable
interj.	interjección
interrog.	interrogativo
intr.	intransitivo (verbo)
inv.	invariable
IRC	Cruz Roja Internacional
irreg.	irregular
IRTP	Impuesto sobre el Rendimiento del Trabajo Personal
ISMUN	Movimiento Internacional de Jóvenes y Estudiantes en favor de las Naciones Unidas
ít.	ítem
ital.	italiano
izq., izqda.	izquierda
Jam.	Jamaica
J.C.	Jesucristo
Jhs.	Jesús
JJ.OO.	Juegos Olímpicos
JUJEM	Junta de Jefes de Estado Mayor
just.	justicia
lc., loc. cit.	en el lugar citado

l.	lugar (adverbio de)
lat.	latín
l.c.	loco citado («en el lugar citado»)
lib.	libro
ling.	lingüística
lit.	literatura
loc.	locución
loc. cit.	loco citado («en el lugar citado»)
lóg.	lógica
LSD	Dictilamida del Ácido Lisérgico
m.	masculino
m. adv.	modo adverbial
mf.	masculino y femenino
m. pl.	masculino plural
mar.	marina
mat.	matemáticas
mec.	mecánica
med.	medicina
Méj., Méx.	Méjico
meteor.	meteorología
microb.	microbiología
mil.	milicia
min.	minería
mit.	mitología
ms., M.S.	manuscrito
mss., M.SS.	manuscritos
mús.	música
N	Norte
n.	neutro
NASA	Administración Nacional de Aeronáutica y del Espacio
N.B.	Nota Bene (Nótese bien)
NE	Nordeste
neg.	negación
neol.	neologismo
Nicar.	Nicaragua
NO	Noroeste
nom.	nomnativo
n.º, núm.	número
N.S.	Nuestro Señor
N.T.	Nuevo Testamento

ntro., ntra.	nuestro, nuestra
numism.	numismática
O	Oeste
obst.	obstetricia
occ.	occidental
OCU	Organización de Consumidores y Usuarios
O.E.A.	Organización de Estados Americanos
O.M.	Orden ministerial
O.M.S.	Organización Mundial de la Salud
ONCE	Organización Nacional de Ciegos Españoles
ONO	Oeste-Noroeste
onomat.	onomatopeya
O.N.U.	Organización de las Naciones Unidas
op. cit.	obra citada
ópt.	óptica
ortogr.	ortografía
ortop.	ortopedia
OSO	Oeste-Sudoeste
O.T.A.N.	Organización Tratado de Atlántico Norte
OVNI	Objeto Volador No Identificado
p.	página
p.	participio
pa.	participio activo
p.a.	por ausencia
pág.	página
PAHO	Organización Panamericana de la Salud
pal.	palabra
paleogr.	paleografía
Panam.	Panamá
par. insep.	partícula inseparable
Parag.	Paraguay
pat.	patología
P.C.	Ordenador personal
P.D.	postdata
pdo.	pasado
pedag.	pedagogía
pediatr.	pediatría
p. antonom.	por antonomasia
p. ej.	por ejemplo
p. ext.	por extensión

period.	periodismo
pers.	persona
pint.	pintura
pl.	plural
p.m.	después del mediodía
poét.	poético
pop.	popular
port.	portugués
pp.	participio pasivo
pral.	principal
pref.	prefijo
prehist.	prehistoria
prep.	preposición
pres.	presente
pret.	pretérito
prnl.	pronominal
pról.	prólogo
pron.	pronombre
prov.	provincia
pron.	pronúnciase
próx.	próximo
P.S.	post. scriptum («postdata»)
psicol.	psicología
psiquiat.	psiquiatría
Pto. R.	Puerto Rico
p. us.	poco usado
quím.	química
rad.	radiodifusión
RADAR	Detección y Localizacón por Radio
RAE	Real Academia Española
RAM	Memoria de Acceso en un Ordenador
ref.	reflexivo (verbo)
reg.	regular
rel.	religión
relat.	relativo (pronombre)
R.E.N.F.E.	Red Nacional de Ferrocarriles Españoles
Rep. Dom.	República Dominicana
ret.	retórica
R.O.	Real Orden
ROM	Memoria solamente de lectura de un ordenador

ROS	Memoria muerta en un ordenador
RTV	Radio-Televisión
S	Sur
s.	siglo
s.	sustantivo
s.a.	sin año
Salv.	El Salvador
s/c	su casa
sent.	sentido
se pron.	se pronuncia
SE	Sudeste
s.e.u.o.	salvo error u omisión
SIDA	Síndrome de Inmunodeficiencia Adquirida
sig., sigs.	siguiente, siguientes
símb.	símbolo
sing.	singular
S.N.	Servicio Nacional
s.n.	sin número
SO	Sudoeste
sociol.	sociología
S.O.S.	Señal internacional para pedir socorro
S.P.	Servicio Público
SSE	Sud-Sudeste
SSO	Sud-Sudoeste
subj.	subjuntivo
suf.	sufijo
superl.	superlativo
supl.	suplemento
T. o t.	tomo
t.	tiempo (adverbio de)
TALGO	Tren Articulado Ligero Goicoechea Oriol
taurom.	tauromaquia
teat.	teatro
tecn.	tecnicismo
tel., teléf.	teléfono
telg.	telégrafo
telp.	teletipo
telv.	televisión
teol.	teología
term.	terminación

tít.	titulo
topog.	topografía
tr.	transitivo (verbo)
trad.	traducción
trig.	trigonometría
tur.	turismo
TV	televisión
Ú., ús.	úsase
UDUAL	Unión de Univeresidades de América Latina
UEFA	Unión de Asociaciones Europeas de Fútbol
U.N.E.S.C.O.	Organización Educativa, Científica y Cultural de las Naciones Unidas
UNICEF	Fondo de las Naciones Unidas para la Ayuda a la Infancia
U.R.S.S.	Unión de Repúblicas Socialistas Soviéticas
Urug.	Uruguay
U.S.A.	Estados Unidos de América
UVI	Unidad de Vigilancia Intensiva
v.	véase; verso
va.	verbo activo
Venez.	Venezuela
veter.	veterinaria
vid.	véase
VIP	Persona muy importante
v.g. o v.gr.	verbigracia
V.º B.º	visto bueno
v.o.	versión original
vocat.	vocativo
VOSE	Versión Original Subtitulada en Español
vta., vto.	vuelta, vuelto
vulg.	vulgar, vulgarismo
W.C.	retrete
YUPPIE	Joven Profesional Urbano
zool.	zoología

Abreviaturas de cortesía y tratamiento

En la siguiente relación, incluimos algunos abreviaturas que si no son en la actualidad de uso muy frecuente, hemos estimado conveniente su inserción, porque pueden hallarse en algunos textos.

afmo.	afectísimo
A.L.R.P.	A los reales pies
Arz., Arzbpdo.	Arzobispo
attmte.	atentamente
ato., atto.	atento
B.L.M.	besa la mano
B$^{mo. pe.}$	Beatísmo Padre
Card.	Cardenal
D.	Don
D.^{a}	Doña
Dr., Dra.	Doctor, Doctora
E.M.	Estado Mayor
Em.^{a}	Eminencia
Emmo.	Eminentísimo
E.P.D.	En Paz Descanse
Exc.^{a}.	Excelencia
Excmo.	Excelentísimo
Fr.	Fray
Gen.	General (grado militar)
H.	Hermano/a (en orden religiosa)
hnos.	hermanos
Iltre.	Ilustre
Ilmo.	Ilustrísmo
Ldo., Lda.	Licenciado, Licenciada
lic., licdo.	licenciado
M.MM.	Madre(s) (religiosas)
M.I.S.	Muy Ilustre Señor
Mons.	Monseñor
Mtro.	Maestro
N.S., Ntro. Sr.	Nuestro Señor
Na. Sa., Ntra. Sra.	Nuestra Señora
N.S.J.C.	Nuestro Señor Jesucristo
Ob., Obpo.	Obispo
P. PP.	Padre(s) (religiosos)

pbro., presb.	presbítero
Q.B.S.M.	que besa su mano
Q.D.G., q.D.g.	que Dios guarde
q.e.g.e.	que en gloria esté
Q.E.S.M.	que estrecha su mano
Q.E.P.D.	que en paz descanse
q.s.g.h.	que santa gloria haya
R. o Rdo.	Reverendo
R.I.P.	requiescat in pace (Descanse en Paz)
Rmo., Rma.	Reverendísimo, reverendísima
S.A.	Su Alteza
S.A.R.	Su Alteza Real
S.E.	Su excelencia
S. o Sn.	San
S.M.	Su Majestad
Smo.	Santísimo
Sr.	Señor
Sra.	Señora
Srta.	Señorita
S.S.	Su Santidad
SS.AA.	Sus Altezas
SS.MM.	Sus Majestades
s.s.s.	su seguro servidor
V., Vd., Ud.	usted
Vda.	viuda
V.A.	Vuestra Alteza
V.A.R.	Vuestra Alteza Real
V.E.	Vuestra Excelencia
V.M.	Vuestra Majestad
V.R.	Vuestra Reverencia
VV., Vds., Uds.	ustedes
V.E.	Vuestra Excelencia (Vuecencia)
vro., vra.	vuestro, vuestra
V.S.	Vuestra Señoría (Usía)

Abreviaturas comerciales

a	área
a/c.	a cuenta
a/f.	a favor
acept.	aceptación
ADAMICRO	Asociación para el Desarrollo de la Tecnología y Aplicación de los Micro procesadores
admón.	administración
adm.^{or}	administrador
apble.	apreciable
ATS	Shillings (Austria)**
AUD	Dólares (Australia)**
Bco.	Banco
BEF	Francos (Bélgica)**
BOB	Boliviano (Bolivia)**
b.^{o}	beneficio
c/.	cargo
c.^{o}	cambio
CAD	Dólares (Canadá)**
CAMPSA	Compañía Arrendataria del Monopolio del Petróleo
Cap.	Capital
c/c., cta. cte.	cuenta corriente
c.c.	centímetros cúbicos
cénts., cts.	céntimos
c.f.s.	coste, flete, seguro
CIF	Código de Identificación Fiscal
c.i.f., cif.*	coste, flete y seguro
cg	centigramos
ch/.	cheque
CHF	Francos (Suiza)**
cgo.	cargo
cl	centilitro
cm	centímetro
C.	Colón (Rep. El Salvador y Costa Rica)
COL	Pesos (Colombia)**
com.^{ón}	comisión
Comp., Cía, C.^{ía} o C.^{a}	Compañía
C.P.	código postal

cta.	cuenta
cte.	corriente
cv	caballos de vapor
d.º	daño
DEM	Marcos (Alemania)**
dg	decigramos
Dg	Decagramos
dl	decilitros
Dl	Decalitros
D.L.	Depósito Legal
desct.º	descuento
d/f., d/fha.	días fecha.
KKR	Coronas (Dinamarca)**
d/v.	días vista
d.º d.	dicho día
dm	decímetros
Dm	decámetros
doc.	documento
D.P.	distrito postal
d.p.v.	doble pequeña velocidad
d.na	docena
dto.	descuento
dupdo.	duplicado
d/v.	días vista
$	duros, pesos***, dólares
Ecu.	Unidad de cuenta europea
Ef. a cobrar	Efectos a cobrar
EGS	Sucre (Ecuador)**
f.a o fact.	factura
F.C., f.c.	ferrocarril
FIM	Marcos (Finlandia)**
f.o.b.*	franco a bordo
FRF	Francos (Francia)**
frs. o fcos.	francos
f.r	favor
g, gr	gramos
GBP	Libras esterlinas (Inglaterra)**
GRD	Dragmas (Grecia)**
gros.	géneros
g/	giro

g.p., g/p.	giro postal
GTQ	Quetzal (Guatemala)**
g.v.	gran velocidad
Ha	hectáreas
Hg	hectogramos
Hl	hectolitros
Hm	hectómetros
HNL	Lempira (Honduras)**
HP	caballos de vapor
Hz	Hertzio
IEP	Libras (Irlanda)**
impt.ᵉ	importe
Inc.	Incorporada (Sociedad, Compañía, etc.)
int.ˢ	intereses
IPC	Índice de Precios al Consumo
IVA	Impuesto sobre el Valor Añadido
JPY	Yen (Japón)**
K, Kg, Kgs	kilo, kilogramo, kilogramos
Kc, Kcs	Kilociclos
Khz	Kilohertzios
KIO	Agencia de Inversiones Kuwaití
Kl	Kilolitros
Km	Kilómetros
Km/h	Kilómetros/hora
Kw	Kilowatios
Kw/h	Kilowatios/hora
l	litros
L/, l/	letra
lbrs	libras
f	libras esterlinas
liq.	líquido
LIT	Liras (Italia)**
LUF	Francos (Luxemburgo)**
m	metros; minutos
mb	milibar
mg	miligramos
Mhz	Megahertzios
ml	mililitro
m/L.	mi letra
mm	milímetros

Mm	Miriámetros
m. n.	moneda nacional***
MSN	Pesos (Argentina)**
m/acep., m/a.	mi aceptación
n/acep., n/a.	nuestra aceptación
m/cgo., m/c.	mi cargo
n/cgo., n/c.	nuestro cargo
m/c., m/cta.	mi cuenta
n/c., n/cta.	nuestra cuenta
s/c.	o s/cta.su cuenta
m/cc.	mi cuenta corriente
n/cc.	nuestra cuenta corriente
s/cc.	su cuenta corriente
m/e.	mi entrega
Merc. Grales.	Mercaderías Generales
m/f.	mi favor
n/f.	nuestro favor
s/f.	su favor
m/fcha.	mi fecha
m/fra.	mi factura
n/fra.	nuestra factura
s/fra.	su factura
m/g.	mi giro
n/g.	nuestro giro
s/g.	su giro
m/l.	mi letra
n/l.	nuestra letra
s/l.	su letra
m/o.	mi orden
n/o.	nuestra orden
s/o.	su orden
m/p.	mi pagaré
n/p.	nuestro pagaré
s/p.	su pagaré
m/r.	mi remesa
n/r.	nuestra remesa
s/r.	su remesa
m/t.	mi talón
n/t.	nuestro talón
s/t.	su talón

NIO	Córdoba (Nicaragua)**
NLG	Florines (Holanda)**
NOK	Coronas (Noruega)**
o/	orden
OPEP	Organización de Países Exportadores de Petróleo
P/, p/	pagaré
pdo.	pasado
PIB	Producto Interior Bruto
p/v.	pequeña velocidad
Pérd.ª y Ganan.ª	Pérdidas y Ganancias
pl.	plazo
%	por ciento
‰	por mil
P.A., p/a.	por autorización
PAB	Balboa (Panamá)**
PEN	Sol (Perú)**
P.O., p/o.	por orden
P.P., p/p.	por poder
pxmo.	próximo
p. pdo., ppdo.	próximo pasado
pta	peseta
PTE	Escudos (Portugal)**
PYG	Guaraní (Paraguay)**
PYME	Pequeña y Mediana Empresa
qq	quintales
Qm	quintal métrico
r/	remesa
s/	sobre
Snos., Sob.ˢ, Sobnos.	Sobrinos
S.ᵈᵃᵈ	Sociedad
S.A.	Sociedad Anónima
S.A. de C.V.	Sociedad Anónima de Capital Variable
S.A.E.	Sociedad Anónima Española
SCH	Pesos (Chile)**
S. en C.	Sociedad en Comandita
S.L. o Sdad. Lda.	Sociedad Limitada
S.E. u O.	Salvo error u omisión
SELA	Sistema Económico Latinoamericano
SEK	Coronas (Suecia)**

SU	Rublo (Comunidad de Estados Independientes, antigua URSS)**
TLC	Tratado de Libre Comercio
Tm	Tonelada métrica
USD $ USA	Dólares (Estados Unidos de América)**
v/.	vista
v/r.	valor recibido
vt.º	vencimiento
V	voltios
VEB	Bolívar (Venezuela)**
vol.	volumen
WECAFC	Comisión de Pesca del Atlántico Central Oeste
XEU	Unidad de cuenta europea
Z.P.	zona postal

** Corresponden a la abreviatura de la unidad monetaria del país que se cita y son las vigentes en el Mercado Internacional de Divisas.

*** En los países que tienen el *peso* como unidad, es frecuente añadir a la cantidad la abreviatura *m. n.* (moneda nacional).

Palabras compuestas

Existen diversos procedimientos para la formación de palabras. Uno de ellos es la composición, es decir, la formación de palabras a partir de la unión de dos o más raíces o palabras. En esta unión, los significados de los elementos aislados dan lugar a un nuevo significado conjunto, **la palabra compuesta**, que constituye una nueva entidad lingüística incorporada a la lengua de modo permanente: *antepasado, carricoche, multicopista*, etc.

La composición se presenta en diversos estadios de formación en la lengua: unas veces la palabra compuesta es la suma de sus elementos integrantes, que forman una sola palabra como morfemas flexivos propios: *guardabarros, guardagujas, bienintencionado, parachoques*; otras veces, se establece una unión circunstancial entre dos o más palabras, que no supone en el resultado final de la palabra compuesta más que la concurrencia u oposición de los significados de las palabras que forman. En estos casos, la palabra compuesta aparece en un estadio previo a la consolidación y sus componentes se separan con guiones, *hombre-rana, teórico-práctico, histórico-artístico*; incluso con algunas vacilaciones a veces: alternancia de *coche-cama* y *coche cama* por ejemplo.

La composición puede variar la configuración de alguna de las palabras que la forman: *rojo* en *rojiblanco, pata* en *patitieso, punta* en *puntiagudo*, por ejemplo; en cambio, en otras ocasiones, se conserva incluso el morfema de plural: *medianoche, medias noches*.

La ortografía refleja, pues, los complejos procesos sintáctico-semánticos que implican la formación de palabras.

A continuación, presentamos una lista de palabras compuestas que se escriben en una sola y otra en la que se señalan aquellas que se escriben por separado. Conocer ambos tratamientos es imprescindible ya que ello determina incluso las reglas de acentuación, como ya se explicaba en el apartado correspondiente.

Se escriben en una sola palabra:

abajo
acaso
acerca
adelante
además
adentro
adonde
adrede
afuera
aguapié
aguasol
ahora
alicaído
alrededor
altavoz
anoche
anteanoche
anteayer
antebrazo
antecámara
antedicho
antefirma
antemano
anteojo
antepasado
antesala
antifaz
aparte
apenas
aprisa
arriba
asimismo
atrás
aunque
avemaría
bajamar
besamanos
bienandanza

bienaventurado
bienestar
bienhablado
bienhechor
bienintencionado
bienmesabe
bienquerencia
bienquistar
bienvenida
bocacalle
bocamanga
boquiabierto
calientapiés
cascanueces
cazamoscas
ciempiés
claroscuro
conmigo
conque (conj.)
contigo
contraalmirante
contraataque
contrabajo
contrabando
contrabarrera
contracultura
contrachapar
contradanza
contradecir
contraespionaje
contrafaz
contrafilo
contrafuerte
contraguía
contragolpe
contrahecho
contrahilo
contraindicación

contramaestre
contralmirante
contramano
contraofensiva
contraorden
contrapartida
contrapelo
contrapeso
contraponer
contraportada
contrapuerta
contrapuesto
contrapunto
contraseña
contratiempo
contravenir
cualquiera
cualesquiera
cuentagotas
cumpleaños
damajuana
debajo
delante
dondequiera
duermevela
encima
enfrente
enhorabuena
entreabrir
entreacto
entrecejo
entrecortar
entredicho
entredós
entrameter
entrepaño
entrepierna
entresacar

entresuelo
entretanto
entretela
entretiempo
entrever
entrevista
entrometer
espantapájaros
extremaunción
exvoto
ferrocarril
fotocomposición
fotocopia
fotograbado
ganapán
gentilhombre
guardabandera
guardabarranco
guadabarreras
guardabarros
guardabosque
guardabrazo
guardabrisa
guardacaballo*
guardacabo
guardacabras
guardacadena
guardacamisa
guardacantón
guardacostas
guardaespaldas
guardafangos
guardafrenos
guardafuego
guardagujas
guardahúmo
guardainfante
guardajoyas
guardalado
guardalmacén

guardalobo
guardalodos
guardamano
guardameta
guardamonte
guardamuebles
guardapelo
guardapesca
guardapiés
guardapolvo
guardapuertas
guadarraya*
guardarrío
guardarropa
guadarropía
guardarruedas
guardasellos
guardatimón
guardavalla
guardavela
guardavía
guardiamarina
hazmerreír
hidroavión
hidrodinámica
hidroelectricidad
hidropeda
hierbabuena
hojalata
huecograbado
lavafrutas
lavamanos
lavavajillas
limpiabarros
limpiabotas
limpiadientes
limpiamanos
limpiaparabrisas
limpiaúñas
malaconsejado

malacostumbrado
malagana
malagradecido
malandanza
malapata
malasangre
malasombra
malavenido
malaventurado
malbaratar
malcarado
malcasado
malconsiderado
malcontento
malcriado
maldecir
maldiciente
malentendido
malestar
malformación
malgastar
malhablador
malhumor
malintencionado
malmaridado
malmirado
malogrado
maloliente
malparado
malparido
malpensado
malsano
malsonante
maltratar
malversador
malversar
mediacaña
medialuna
medianoche
mediocampista

mediodía
microfilme
motocicleta
multicopista
otrosí
parabién
parabrisas
paracaídas
pararrayos
pasacalle
pasamanos
pasamontañas
pasaporte
pasatiempo
patitieso
piamadre
picapedrero
pisapapeles
pleamar
portacomidas*
portacruz
portadocumentos
portaequipajes
portaestandarte
portafusil
portaguión
portaherramientas
portalámparas
portalápiz
portalibros
portallaves*
portaminas
portamonedas
portanuevas
portapliegos
portaplumas
portarretratos
portaviandas
portaviones
portavoz

puntiagudo
quebrantahuesos
quehacer
quienesquiera
quienquiera
quitamanchas
quitasol
radiactivo
radioescucha
radiorreceptor
radiotelefonía
radiotelegrafía
radiotransmisor
radioyente
ricahembra
ricohombre
sacacorchos
sacadineros
sacamanchas
sacamuelas
sacapuntas
saltamontes
saltimbanqui
salvaguardia
salvavidas
salvoconducto
santiamén
semicircular
semicírculo
semicircunferencia
semiconsonante
semicorchea
semidiós
semiesfera
semifinal
semifusa
semipúblico
semiseco
semivocal
sino

sinnúmero
sinvergüenza
siquiera
sobrasar
sobrecejo
sobrecoger
sobredosis
sobrehilar
sobrehumano
sobrellevar
sobremesa
sobrenatural
sobrepeso
sobreponer
sobreprecio
sobresaliente
sobresalir
sobresaltar
sobresdrújula
sobrestante
sobrestimar
sobrevaluar
sobrevenir
sobreviviente
sobrevivir
socialdemócrata
sordomudo
sujetapapeles
también
taparrabo
tejemaneje
telefilme
televidente
tentempié
tentetieso
tiovivo
tirabuzón
tiralíneas
tocadiscos
tocateja (a)

todavía
todopoderoso
ultracongelado
ultramar
ultratumba
ultravioleta
vaivén
varapalo
verbigracia
verdinegro
vicealmirante

vicecónsul
vicedirector
vicepresidente
vicerrector
vicesecretario
viceversa
vierteaguas
yuxtalineal
yuxtaponer
yuxtaposición
zampabollos

zampalimosnas
zampapalo
zampatortas
zangamanga
zapapico
zarzamora
zarzaparrilla
zarzarrosa
zigzag
zipizape
zurribanda

*   Las palabras con asterisco son americanismos.

Se escriben en dos palabras:

a bordo
a bulto
a ciegas
a cuestas
a deshora
a desmano
a destajo
a destiempo
a fin de
a fuerza de
a gatas
a granel
a mano
a medias
a menos que
a menudo
a pesar
a pie
a porrillo
a priori
a propósito
a ratos
a tiempo
a veces
ab intestato
ad hoc
al respecto

al revés
ante todo
así como
así que
bien que
Campo Santo
como quiera
como sea
con que*
con tal que
con todo
de acuerdo
de antemano
de balde
de donde
de frente
de lado
de noche
de pronto
de pie
de repente
de seguida
de sobra
de veras
desde luego
en balde
en cuanto

en derredor
en donde
en efecto
en fin
en medio
en pie
en tanto
en vano
ex profeso
no obstante
por ahora
por donde
por fin
por supuesto
por tanto
recién casado
recién nacido
sin duda
sin embargo
sobre si
sobre todo
so pena de
tan sólo
tos ferina
Vía Crucis
visto bueno
zis zas

* No debe confundirse con la conjugación *conque*.

Palabras con doble grafía

Puede escribirse juntas o separadas:

adonde	a donde	deprisa	de prisa
alrededor	al rededor	enfrente	en frente
aposta	a posta	enseguida	en seguida
aprisa	a prisa	exabrupto	ex abrupto
bocabajo	boca abajo	entretanto	entre tanto

Topónimos

La ortografía de los topónimos o nombres propios de lugar ha sido siempre una cuestión no exenta de ciertas dificultades y controversias, sobre todo la de los nombres extranjeros, incluso en los casos más conocidos y usuales. Por eso ha sido necesario establecer una normativa que unifique su transcripción. Así pues, conviene que distingamos tres tipos de topónimos:

1. Nombres extranjeros que tienen traducción tradicional y cuyo uso está bien arraigado en castellano; por lo tanto, deben utilizarse en su forma castellana y acogerse, en consecuencia, a las normas vigentes: *Amberes, Angulema, Aquisgrán, Aviñón, Basilea, Berna, Bolonia, Burdeos, Londres, Milán, Niza, Padua, París, Bruselas, Maguncia, Florencia, Colombia, Ginebra, Dresde, Terranova, Ruán, Lausana, Brujas, Turín,* etc.

En los casos de *México, Texas* y *Oaxaca* hay que recordar que deben pronunciarse /Méjico/, /Tejas/ y /Oajaca/ aunque se escriban con **x**.

2. Nombres que tienen correspondencia en castellano, pero que, generalmente por razones políticas de los países respectivos, se escriben paralelamente con la forma del país.

En este caso es aconsejable respetar el nombre extranjero con su grafía hispanizada o colocar entre paréntesis su forma castellana. Sin embargo, algunos de estos nombres deben mantener la versión ya conocida; por ejemplo, *Pekín* en lugar de *Beijing, Antioquía* y no *Antakya.*

3. Nombres que se mantienen en su lengua de origen porque no tienen correspondencia castellana, y que debemos transcribir con la grafía hispanizada, como por ejemplo, *Abiyán, Abu Dabi*, etc.

A continuación se incluyen tres listas de topónimos, que corresponden a los tres casos explicados:

Normas sobre topónimos

1. **Nombres extranjeros que tienen traducción tradicional en caste-llano:**

Incorrecto	Correcto
Aachen	Aquisgrán
Anvers	Amberes
Antakya	Antioquía
Aomen	Macao
Bâle	Basilea
Beijing	Pekín
Bordeaux	Burdeos
Bougie	Bugía
Bruxelles	Bruselas
Burma	Birmania
Cornwall	Cornualles
Den Haag	La Haya
Dresden	Dresde
Duvronic	Ragusa
Firenze	Florencia
Frankfurt	Fráncfort
Freiburg	Friburgo
Genève	Ginebra
Genova	Génova
Grenada	Granada (Isla)
Göteborg	Goteburgo
Götingen	Gotinga
Hessen	Hesse
Key West	Cayo Hueso
Köln	Colonia
La Golette	La Goleta
La Valletta	La Valeta
Livorno	Liorna
London	Londres
Mainz	Maguncia
Makkah	La Meca
Malaya/Malaysia	Malasia
Mantova	Mantua

Meknes	Mequínez
Mers el kebir	Mazalquivir
Milano	Milán
Moscowa	Moscú
München	Múnich
Nabatiyeh	Nabatea
Nablús	Maplusa
Newfoundland	Terranova
New York	Nueva York
Niedesachsen	Baja Sajonia
North Carolina	Carlina del Norte
Padova	Padua
Regensburg	Ratisbona
Rouen	Ruán
Saida	Sidón
Saint Jean de Luz	San Juan de Luz
Sousse	Susa
South Carolina	Carolina del Sur
Stokolm	Estocolmo
Tarablos	Trípoli
Tesalonique	Salónica
Torino	Turín

2. **Nombres que se escriben paralelamente en castellano y en la forma del país.** Como se ha dicho, conviene escribir entre paréntesis su equivalente en castellano:

Bangladesh	(Bengala)
Bioko	(Fernando Poo)
Burkina Faso	(Alto Volta)
Dajla	(Villa Cisneros)
Esauira	(Mogador)
Gdansk	(Danzing)
Kampuchea	(Camboya)
Malabo	(Santa Isabel)
Sri Lanka	(Ceilán)
Taiwán	(Formosa)

3. **Los nombres que se mantienen exclusivamente en su lengua de origen, aunque con grafía hispanizada:**

Incorrecto	Correcto
Abidjan	Abiyán
Abu Dhabi	Abu Dabi
Ajmán	Achmán
Aleppo	Alepo
Azebaidzhan/Azerbaiján	Azerbaiyán
Antananarivo	Tananarivo
Bophuthatswana	Bofutatsuana
Botswana	Botsuana
Bujumura	Buyumbura
Dkhla	Dajla (Villa Cisneros)
Dar es Salaam	Dar as Salam
Djerba/Jerba	Yerba/Gelves
Djibuouti/Jibuti	Yibuti
Essaouira	Esauira (Mogador)
Fidji/Fiji	Fiyi
Fujairah	Fuyairah
Ghardahia	Gardaya
Gizeh	Guiza
Jeddah/Jiddah	Yida
Jibuti	Yibuti
Kairouan	Kairuán
Katar	Qatar
Kazakhistán	Kazajistán
Kenya	Kenia
Khartoum	Jartum
Khorasán	Jurasán
Khuzistán	Juzistán
Kitghizistán	Kirguizistán
Koweit	Kuwait
Lesotho	Lesoto
Malawi	Malaui
Marrakesh	Maraquech
Mogdiscio	Mogadischo
Mogreb	Magreb
N'Djamena	Yamena

Nouadhibou	Nuadibú
Nouakchott	Nuakchot
Ouagadougou	Uagadugu
Ouargla	Uargla
Ouarzazate	Uarzazat
Oum al Qaiuein	Um al Qaiuain
Oujda/Uxda	Uichda
Punjab	Punyab
Riyad	Riad
Ras al Khaima	Ras al Jaima
Swazilandia	Suazilandia
Tadzhikistán	Tayikistán/Tayikia
Tchad	Chad
Yiddah	Yida
Zimbawe	Zimbabue

Topónimos dudosos:

Incorrecto	**Correcto**
Antioquía	Antioquia (Colombia)
Calí	Cali (Colombia)
Checoeslovaquia	Checoslovaquia
Irak	Iraq
Nueva Zelandia	Nueva Zelanda
Rumania	Rumanía
Thailandia	Tailandia
Tahiti	Tahití
Tokyo	Tokio
Tunicia	Túnez
Ukrania	Ucrania
Yugoeslavia	Yugoslavia

Préstamos y barbarismos

El castellano, como lengua romance que es, nació de la evolución del latín vulgar, por lo tanto, su estructura gramatical y la mayor parte de su vocabulario proceden de esa lengua, que se impuso a las prerromanas o lenguas que se hablaban en la península ibérica antes de la romanización. Así pues, el léxico heredado por el idioma castellano está compuesto por el latín, por las palabras prerromanas y por las germanas y griegas que penetraron primero en el latín y que esta lengua le traspasó.

Además, como sucede con todos los idiomas –no hay idioma en el mundo que haya permanecido absolutamente puro– se ha ido nutriendo de palabras procedentes de otras lenguas. Por diversas circunstancias, a lo largo de los siglos, se establecen contactos entre ellas que las enriquecen mutuamente. Todas estas palabras que una lengua toma de otra se llaman **préstamos léxicos** o, simplemente, **préstamos**.

El castellano ha ido aumentando su caudal aceptando préstamos de muchos idiomas. Desde los que proceden, como hemos dicho, de las lenguas germánicas a partir de la invasión de la península hacia el siglo V, hasta los que nos llegan actualmente del inglés, han sido muchos los idiomas que han dejado su huella en el español: el árabe, debido a los siglos de la Reconquista en la que se alternaron guerras y períodos de paz; el francés, como consecuencia de las relaciones entre ambos países durante los tiempos medievales y, sobre todo, en el siglo XVIII; el italiano, del cual adquirimos un gran caudal de voces, sobre todo durante el Renacimiento, y por las relaciones políticas en los siglos XVI y XVII.

243

No debemos olvidar tampoco la inclusión de muchas palabras procedentes de las restantes lenguas romances habladas en la península: gallego-portugués y catalán, ni las numerosas voces que han aportado las distintas lenguas del continente americano.

Es indiscutible, como ya ha quedado apuntado, que los préstamos robustecen y enriquecen el idioma que los reciben porque amplían su horizonte cultural vital.

En la actualidad, debido a la rapidez con que avanza la tecnología, a la gran difusión de la música moderna, a la enorme trascendencia del mundo de los deportes y a la influencia cotidiana que ejercen los medios de comunicación, nuestra lengua está plagada de multitud de palabras extranjeras utilizadas innecesariamente, puesto que sus equivalencias existen en castellano, y que la Real Academia Española de la Lengua define como vicios del lenguaje. Son los **barbarismos**.

Veamos a continuación cuáles son los más frecuentes.

Anglicismos

Palabras como *spot, bungalow, short, stand*, etc. nos son tan familiares que las usamos como si fueran propias del castellano. La mayoría de ellas proceden del inglés, idioma del que todas las lenguas son tributarias hoy en día. Estas palabras llamadas **anglicismos** han llegado, en la mayoría de los casos, directamente del inglés; otras veces se ha extendido su uso debido a la expansión política y económica de los Estados Unidos vía Hispanoamérica.

Algunos de ellos **han sido ya aceptados** por la Real Academia Española de la Lengua y han sufrido un proceso de castellanización en su forma para ser incorporados al idioma castellano, como ocurre con: *bistec, cliché, champú, cheque, esmoquin, flirt, fútbol, güisqui, jersey, prioritario, polución, supervisor, telefilme, túnel, vagón, vermut, yanqui, yate* y otras.

Otros, en cambio, todavía no han sido admitidos; por lo tanto, deben considerarse palabras superfluas con cuyo uso se comete una incorrección y deben ser combatidos utilizando los sinónimos castellanos correspondientes.

He aquí, a continuación, una relación de los **anglicismos** de uso más corriente, que **no han sido aceptados** por la Real Academia Española de la Lengua:

Incorrecto	Correcto
baffle	altavoz
blue-jeans	pantalón vaquero
bluff	noticia falsa
boom	auge repentino, éxito
boxes	taller de mantenimiento para automóviles
boy-scout	joven excursionista
breake	freno
bulldozer	excavadora
bungalow	casa pequeña
bunker	fortín, refugio militar
camping	campamento
computer	computadora
concreto	hormigón
clown	payaso
container	contenedor
crack	quiebra comercial

dancing	baile
dopar	drogar
establishment	sistema, orden establecido
express	expreso (tren)
fair play	conducta cortés
fan	admirador
ferry	transbordador
film	filme
flash-back	vuelta atrás
free lance	trabajador independiente
full-time	dedicación exclusiva
gangster	pistolero
gas-oil	gasóleo
gentleman	caballero
gin	ginebra
girl	chica
grill	parrilla
groggy	aturdido
hall	vestíbulo
handicap	obstáculo
hi-fi	alta fidelidad
hit	éxito
hit-parade	lista de éxitos
holding	grupo de empresas
in put	ingresos, materia prima
interview	entrevista
jeans	pantalón vaquero
jeep	automóvil todo terreno
jet	reactor
jet-set	gente de alta sociedad
jogging	carrera con ejercicios gimnásticos
kart	vehículo pequeño de carreras
light	ligero, blando
linier	juez de línea
lock-out	cierre de empresas
long-play	disco de larga duración
look	imagen, aspecto personal
lunch	comida, refrigerio
made in	fabricado en
manager	administrador, gerente

marketing	comercialización
minibasket	minibaloncesto
miss	señorita
mister	señor
music-hall	café concierto
night-club	sala de fiestas
nurse	niñera
off	fuera
off the record	confidencial
outside	fuera de juego
parking	aparcamiento
party	fiesta
pedigree	pedigrí
picnic	comida campestre
peppermint	menta
play-back	sonido grabado
play-boy	hombre mundano y conquistador
plumcake	bizcocho
pub	taberna
pudding	bizcocho con frutas
pullman	coche cama
puzzle	rompecabezas
raid	incursión
rally	competición automovilística
ranking	clasificación
record	marca
recordman	plusmarquista
relax	relajamiento, distensión
rent-a-car	alquiler de un coche
replay	repetición
ring	cuadrilátero
royalty	regalía
scotch	escocés
script	guión cinematográfico
sandwich	bocadillo
self-service	autoservicio
sex-appeal	atractivo sexual
sex-shop	tienda de objetos eróticos
sexy	atractivo
short	pantalón corto

show	espectáculo
showman	animador de espectáculos
skating	patinaje
sketch	escena, historieta cómica
slip	calzoncillo
snack-bar	bar de tapas
sport	deporte
sportman	hombre deportista
sportwoman	mujer deportista
spot	film publicitario
spray	vaporizador
speech	discurso breve
sprint	esfuerzo final
squatter	ocupante ilegal de una vivienda
staff	conjunto de empleados de una empresa
stage	entrenamiento deportivo
stand	pabellón, caseta, exposición
standing	categoría, posición
star	estrella de teatro o cine
stock	mercancías disponibles
stop	parada
stress	tensión, agotamiento, sobrecarga emocional
take away	listo para llevar
team	equipo deportivo
teenager	adolescente, quinceañero
test	prueba, examen
thriller	film de intriga
ticket	billete, entrada, vale
trailer	camión con remolque, avance de una película
training	entrenamiento
trial	competición motociclista
wagon-lit	coche cama
walkman	magnetófono de bolsillo
water	retrete
week-end	fin de semana
yuppy	joven ejecutivo con éxito

Galicismos

Al igual que ocurre con los anglicismos, también es notoria la influencia de la lengua francesa en el castellano, que, si en la actualidad no es tan intensa, data de mucho más antiguo. Su origen se remonta a la Edad Media, y el primer monumento de nuestra lengua, el *Poema del Mío Cid*, tiene los primeros galicismos. Debido a las peregrinaciones que seguían el camino de Santiago, se introdujeron en nuestra lengua muchas palabras francesas que trajeron los monjes, los peregrinos y los nobles. El siglo XVI parecer ser el tiempo en que menos palabras francesas entraron en nuestra lengua, y es en el siglo XVIII cuando los galicismos entran como una verdadera avalancha con la subida al trono de la dinastía de los Borbones.

Muchos aspectos de la vida moderna se aceptan en España a través de los galicismos: *bolsa, cotizar, endosar, explotar, finanzas, garantía*, etc. También algunos grandes inventos de nuestro tiempo nos han venido de Francia. Veamos la terminología del automovilismo y de la aviación: *aterrizar, avión, carlinga, chasis, chófer*, etc. Estos galicismos han experimentado un proceso análogo al de los anglicismos. Algunos se han castellanizado: *bricolaje, chófer, restaurante, doncel, hostal, mesón, billete, crema, monseñor, monja, duque, bachiller, moda, parque* y otros muchos.

Otros siguen utilizándose en su forma francesa, más o menos modificada, no aceptada por la RAE:

Incorrecto	Correcto
affaire	caso, asunto, escándalo político o comercial
amateur	aficionado (no profesional)
biscuit	bizcocho, galleta
boite	club nocturno
bouquet	ramo, gustillo (vinos)
boutade	salida, ocurrencia
boutique	tienda de artículos de moda selectos
cachet	sello, distinción
croupier	persona que atiende una mesa de juego
chance	suerte, ocasión
charme	atractivo, encanto
chauvinismo	patriotería
chic	elegancia, distinción
demarré (demarreur)	aparato de arranque de un motor
demodé	pasado de moda

dossier	expediente
entente	trato, acuerdo
epatar (epater)	admirar, maravillar
esthéticienne	esteticista
forfait	precio global
frappé	enfriado, semihelado
gourmand	glotón, goloso
gourmet	gastrónomo
impasse	atolladero, compás de espera
maillot	bañador
marrons glacés	castañas confitadas
mêlée	barullo, confusión
naïf	sencillo, ingenuo
negligé	descuidado, desaliñado
office	antecocina
orfelinato (orphelinat)	orfanato
parachutar (parachuter)	lanzar en paracaídas
paradojal (paradoxal)	paradójico
partenaire	compañero
pastiche	imitación
peluche	muñeco de felpa
pierrot	payaso
pivot	pivote
ralenti	marcha lenta de un motor
rapport	reseña, informe
rentrée	regreso, reanudación
rol	papel, cometido
secreter	escritorio
soirée	velada
soufflé	hueco, esponjoso
souvenir	recuerdo
surmenage	fatiga, agotamiento
tête à tête	cara a cara
toilette	tocador, tocado
tour	giro, vuelta
tournée	excursión, gira, viaje
tricotar (tricoter)	hacer punto
variété	espectáculo de variedades
yogurtera	yogurera

Italianismos

Los **italianismos** son las palabras que proceden del italiano. Los primeros datan del Renacimiento y proceden de traducciones de obras literarias y del terreno de las artes: *adagio, andante, aria, baldaquín, batuta, bufo, bufón, claroscuro, contrabajo, esbelto, esgrafiar, medallón, ménsula, mórbido, mosaico, nicho, novela, óleo, pedestal, pilastra, planta, podio, pórtico, saltimbanqui, sonata, soneto, soprano, temple, tenor, terceto, zócalo,* etc.

Otros italianismos proceden de la vida eclesiástica o social, de la alimentación, etc.: *bártulos, bayeta, camarlengo, camposanto, cantina, capuchino, carnaval, carroza, cortejar, charlatán, desdeñar, estafar, fracaso, hostería, mazapán, monseñor, salchicha, valija, truco,* etc.

También el campo de la navegación está lleno de palabras que proceden del italiano: *corso, borrasca, brújula, fragata, estibar, calafatear, galera, fanal, corsario, piloto, góndola, trinquete,* etc.

Del campo de la banca y de la diplomacia proceden: *bancarrota, banquero, bando, cambio, crédito, débito, embajada, embajador, florín, millón, póliza, señoría,* etc. Y del ambiente militar: *alojar, alojamiento, emboscada, espía, escolta, escaramuza, soldado, soldadesca* y otras.

Seguidamente damos una relación de algunos **italianismos** de uso incorrecto:

Incorrecto	Correcto
aggiornamento	puesta al día
allegro	alegre
attrezzo	utensilios, enseres
anatemizar	anatematizar
bel canto	bello canto
cappuccino	café con leche
ciao	adiós
confetti	confeti
ghetto	gueto
giro	vuelta
graffiti	pintadas murales
grappa	aguardiente
mostra	muestra, certamen
paparazzo	reportero gráfico
ravioli	ravioles
secentista	seiscentista

sotto voce	en voz baja
spaghetti	espagueti
tempo	ritmo o compás de una música o acción
tifosi	hincha de un equipo deportivo
vendetta	venganza

Germanismos

Según los lexicólogos, no llegan a trescientas las palabras de procedencia germánica que usamos en castellano. Su existencia parece muy natural si consideramos que, durante varios siglos, los visigodos dominaron la Península Ibérica. Sin embargo, aunque vencedores, estos pueblos procedentes del este del Rin y del norte del Danubio, adoptaron como lengua el latín, en el que introdujeron algunas palabras que siguen usándose hoy:

adrede	dardo	ganar	robar
agasajar	escapar	ganso	ropa
albergue	escarnecer	guardar	rueca
arpa	escatimar	guerra	sala
aspa	espuela	guiar	tapa
ataviar	estaca	jabón	tregua
blanco	feudo	parra	triscar
brida	galardón	rico	ufano
brotar	gana	rapar	yelmo

Son abundantes también los nombres propios de persona de procedencia germánica: *Adolfo, Alfonso, Álvaro, Elvira, Fernando, Gonzalo, Ramiro, Rodrigo, Rosendo*, etc. Son también germánicos algunos nombres de lugar: *Castrogeriz, Gomariz, Gondomar, Guitriz, Mondariz, Villafálila, Villasandino, Villeza*, etc.

Posteriores son otros germanismos que han llegado al castellano a través del francés y del provenzal: *heraldo, estribo, escarnio, gerifalte, galardón, blanco, fresco, guisa*, etc.

El alemán moderno ha dado pocas palabras al castellano, en este caso en el campo de la guerra: *blindaje, obús, sable*, etc. y en el terreno científico: *blenda, cuarzo, potasa*, etc.

Más escasos son todavía los **germanismos** cuyo uso la Real Academia Española considera incorrectos:

Incorrecto	**Correcto**
frau	señora
fräulein	señorita
kaputt	inútil, inservible
kindergarten	jardín de infancia
kirsch	aguardiente de cerezas

kitsch	cursi, ridículo
leitmotiv	tema principal
lied	poema narrativo o lírico
loess	polvo fino de roca
lumpen	población marginada

Arabismos

El componente árabe es, después del latín, el más importante en nuestro léxico, pues los árabes, poseedores de una cultura superior a la de los europeos, legaron al castellano, durante los siete siglos que permanecieron en la Península, más de cuatro mil palabras pertenecientes a diversas áreas léxicas.

A la organización administrativa y militar corresponden:

adalid, alarde, albacea, alcalde, alfanje, alférez, alguacil, rebato, etc.

A la vida comercial:

aduana, alhóndiga, almacén, almudí, arancel, tarifa, etc.

Al campo de la artesanía y al área de las prendas de vestir y tejidos:

abalorio, albornoz, alhaja, alfiler, alfombra, almohada, jarra, taracea, taza, zaragüelles, etc.

También son arabismos los términos de química y droga:

alambique, álcali, alcanfor, alcohol, alquimia, solimán y *talco,* entre otros.

Las palabras de la terminología matemática:

álgebra, algoritmo, cero, cifra, guarismo.

Corresponden al léxico de la albañilería:

acequia, albañil, alcantarilla, alcoba, alféizar, azotea, azud, azulejo, tabique, tarima, zanja.

Y al de la agricultura:

aceituna, albérchigo, alcachofa, alfalfa, alforja, algarroba, algodón, alubia, arroz, azafrán, azúcar, azufaifa, berenjena, noria, sandía, zanahoria, etc.

Son muy numerosos los nombres árabes entre los topónimos:

Alcalá, Alcira, Algeciras, Benicasim, Elche, Gibraltar, Guadalquivir, Guadiana, La Mancha, Maqueda, Medina, Medinaceli, etc.

Hoy en día la incidencia de arabismos en el idioma español es escasa.

Americanismos

Es un hecho evidente que la influencia en el plano lingüístico entre los colonizadores de América y los pueblos colonizados tuvo reciprocidad y que la acción de las lenguas indígenas sobre el castellano fue no sólo rica – entre la variedad de pueblos colonizados están los mayas, aztecas, araucanos, guaraníes, etc., todos ellos de culturas muy avanzadas–, sino tan intensa que ha permanecido tanto en el castellano que se habla en hispanoamérica como en el que se habla en España.

En efecto, los colonizadores se vieron en la necesidad de nombrar objetos desconocidos para ellos y adoptaron las palabras que utilizaban los indígenas. Estas voces se refieren, sobre todo, a la fauna, a la flora, a los accidentes climáticos, a fenómenos genuinos de las diferentes regiones y países y a numerosos aspectos de la vida cotidiana.

Veamos a continuación algunos de los numerosos vocablos que las diferentes lenguas indígenas han aportado al español:

Arahuaco:

canoa, piragua, cacique, tabaco, batata, guacamayo, sabana, yuca, maíz, tiburón, huracán, tuna, etc.

Náhuatl:

aguacate, cacao, chocolate, cacahuete, tomate, jícara, chicle, petaca, tiza, coyote, tigre, zopilote, etc.

Quechua:

cóndor, alpaca, vicuña, puma, llama, coca, pampa, carpa, china, zapallo, etc.

Guaraní:

tapioca, mandioca, ñandú, jaguar, yacaré, tucán, cobaya, petunia, coatí, etc.

Araucano:

guacho, malón, poncho, boldo.

Conviene destacar también la riqueza y variedad que ofrece el español en América así como algunos de sus rasgos que lo diferencian del que se habla en España:

Predominio de los arcaísmos: *lindo* por hermoso o bello, *pollera* por falda, *candela* por fuego, *liviano* por ligero, *pararse* por ponerse en pie...

Derivación, sobre todo en el uso de los diminutivos: *cachito, chiquitito, ahorita, bolillos, todito, cojinillos, blanquillos...*

Adopción y adaptación de extranjerismos: italianismos, *capuchino, ruina, pibe, avivato, cachar*; anglicismos, *rentar, chequear, bife*; galicismos, *usina, éclair*, etc.

Es indudable que tales diferencias pueden convertirse en un factor negativo y fraccionador; pero son, a la vez, elementos que enriquecen el léxico patrimonial.

Otros barbarismos

Además de los indicados, son frecuentes en niveles de lenguaje popular o semiculto otro tipo de **barbarismos** que consisten en alterar la pronunciación o la escritura de algunas palabras. Fijémonos en los siguientes:

Incorrecto	Correcto
absorver	absorber
adjetivización	adjetivación
afectuosísimo	afectísimo
ansí	así
antidiluviano	antediluviano
aparcamento	aparcamiento
arradio	radio
aspirador	aspiradora
blancucho	blancuzco
carnecería	carnicería
castañear	castañetear
catalepsis	catalepsia
concretización	concreción
concretizar	concretar
conector	conectador
confraternizar	fraternizar
consaguineidad	consanguinidad
consultativo	consultivo
convalecente	convaleciente
cónyugue	cónyuge
criminalogía	criminología
chisporretar	chisporrotear
dentrífico	dentífrico
desaveniencia	desavenencia
destornillarse	desternillarse
detentar	poseer
diabetis	diabetes
eruptar	eructar
espúreo	espurio
extrovertido	extravertido
fratricida	fraticida
frecaplato	friegaplatos

gaseoducto	gasoducto
grandielocuencia	grandilocuencia
grillado	guillado
ideosincracia	idiosincrasia
ileible	ilegible
impelir	impeler
impulsador	impulsor
inaptitud	ineptitud
inconciencia	inconsciencia
inflacción	inflación
inmoralismo	inmoralidad
intercepción	interceptación
invite	invitación
legitimizar	legitimar
lloviznear	lloviznar
más mayor	mayor
más mejor	mejor
meterología	meteorología
naylon	nilón
nuevecientos	novecientos
obviedad	evidencia
permitividad	permisividad
poblema	problema
poliomelitis	poliomielitis
polvoreda	polvareda
positivado	revelado
preveer	prever
provinente	proveniente
quisqui	quisque
radioactivo	radiactivo
seísmo	sismo

Apéndice

Palabras con plurales dudosos

Relación de palabras cuyos plurales no se ajustan a las reglas o se prestan a confusión.

a	aes
abasí	abasíes
accésit	accésit
acimut	acimutes
agá	agaes o agás
agutí	agutíes o agutís
ají	ajíes o ajís
albalá	albalaes
álbum	álbumes
álcali	álcalis
alcaná	alcanaes
alelí	alelíes o alelís
alhelí	alhelíes o alhelís
alféizar	alféizares
alfaquí	alfaquíes o alfaquís
alfolí	alfolíes o alfolís
almoradí	almoradíes o almoradís
alto relieve	altos relieves
altorrelieve	altorrelieves
ambigú	ambigús
arco iris	arcos iris
arrabá	arrabaes
arráez	arráeces
áster	ásteres
ay	ayes
b	bes
bagdalí	bagdalíes o bagdalís
bajá	bajaes o bajás
bajo relieve	bajos relieves
bajorrelieve	bajorrelieves
baladí	baladíes
ballet	ballets
bambú	bambúes o bambús
bantú	bantúes o bantús

baobab	baobabs	catéter
bengalí	bengalíes	cativí
benjuí	benjuís	caví
bibelot	bibelots	cavarí
bidé	bidés	cegrí
bigudí	bigudíes o bigudís	cequí
bisté	bistés	chalé
bisturí	bisturís	champú
bloc	blocs	chisgarabís
bocací	bocacíes	chofer
bocoy	bocoyes	chófer
bóer	bóeres	cine
bombasí	bombasíes	cineclub
borceguí	borceguíes	claxon
borní	borníes	clip
borraj	borrajes o borrases	clíper
bosquimán	bosquimanes	club, clube
bóxer	bóxeres	cóctel
brandi	brandis	coche cama
bumerán	bumeranes	cok
		colibrí
c	ces	cóndor
cabaret	cabarets	confeti
cabriolé	cabriolés	coñá o coñac
cadí	cadíes	córner
café	cafés	coy
calicó	calicós	cualquier
camión tienda	camiones tienda	cualquiera
canalí	canalíes	cualquiera (sust.)
canapé	canapés	cota de malla
cancán	cancanes	crónlech
canesú	canesús	cuerpo de ejército
canon	cánones	culi
capó	capos	
carácter	caracteres	d
carcaj	carcajes	dandi
carcax	carcajes	decreto-ley
caribú	caribúes	déficit
carmesí	carmesíes	dólar
carné	carnés	dolmen

catéter	catéteres
cativí	cativíes
caví	cavíes
cavarí	cavaríes
cegrí	cegríes
cequí	cequíes o cequís
chalé	chalés
champú	champús
chisgarabís	chisgarabises
chofer	choferes
chófer	chóferes
cine	cines
cineclub	cineclubes
claxon	cláxones
clip	clipes
clíper	clíperes
club, clube	clubes
cóctel	cócteles
coche cama	coches cama
cok	coques
colibrí	colibríes o colibrís
cóndor	cóndores
confeti	confetis
coñá o coñac	coñás o coñacs
córner	córneres
coy	coyes o cois
cualquier	cualesquier
cualquiera	cualesquiera
cualquiera (sust.)	cualquieras
cota de malla	cotas de malla
crónlech	crónlechs
cuerpo de ejército	cuerpos de ejército
culi	culis
d	des
dandi	dandis
decreto-ley	decretos-leyes
déficit	déficit
dólar	dólares
dolmen	dólmenes

dominó	dominós
e	ees
escáner	escáneres
escúter	escúteres
eslogan	eslóganes
esmoquin	esmóquines
espécimen	especímenes
esquí	esquís
estándar	estándares
estay	estayes o estáis
éster	ésteres
excrex	excrez
excusalí	excusalíes
f	efes
fagot	fagotes
faralá	faralaes
fatimí	fatimíes
faz	faces
fe	fes
filme	filmes
flamen	flámenes
frac	fraques
frenesí	frenesíes o frenesís
frufrú	frufrúes
g	ges
gachí	gachís
gachó	gachós
gambax	gambajes
géiser	géiseres
gentilhombre	gentilhombres o gentiles hombres
gilí	gilís
gluglú	gluglúes
gong(o)	gongos
guaraní	guaraníes
guardia civil	guardias civiles
guardia marina	guardias marinas
guirigay	guirigáis

güisqui	güisquis
h	haches
hez	heces
hijadalgo	hijasdalgo
hijodalgo	hijosdalgo
hindú	hindúes
hipérbaton	hipérbatos o hiperbatones
hora-punta	horas-punta
huecú	huecúes
hurí	huríes o hurís
i	íes
iceberg	icebergs
iglú	iglúes o iglús
iraní	iraníes
iraquí	iraquíes
j	jotas
jabalí	jabalíes
jersey	jerséis
júnior	juniores
k	kas
l	eles
landó	landós
lay	lais
lémur	lémures
librepensador	librepensadores
líder	líderes
lord	lores
lumen	lúmenes
liquen	líquenes
m	emes
maharajá	maharajaes o maharajás
malentendido	malentendidos
manchú	manchúes
mamá	mamás

manatí	manatíes
mamut	mamutes
maní	maníes
maniquí	maniquíes o maniquís
máquina herramienta	máquinas herramientas
maravedí	maravedíes, maravedises, maravedís
marroquí	marroquíes
máuser	máuseres
medio relieve	medios relieves
médium	media (en pintura) o médiums
menú	menús
mesa camilla	mesas camillas
microfilme	microfilmes
milord	milores
mitin	mítines
montepío	montepíos
n	enes
no	noes
non	nones
ñ	eñes
ñandú	ñandúes o ñandús
o	oes
ombú	ombúes o ombús
ónique	óniques
ónix	ónices
osmandí	osmandíes
p	pes
pacay	pacayes o pacaes
padre nuestro	padres nuestros
padrenuestro	padrenuestros
pailebot	pailebotes
paipái o paipay	paipáis
panamá	panamaes
paletó	paletós
panjí	panjíes
papá	papás

papú	papúes
papúa	papúas
paquebot	paquebotes
paquistaní	paquistaníes
parqué	parqués
pársec	pársecs
pavo real	pavos reales
pedigrí	pedigríes
penalty	penaltis
piel roja	pieles rojas
pipí	pipís
pirulí	pirulís
planta piloto	plantas piloto
plató	platós
plumier	plumieres
pólder	pólderes
polen	pólenes
poliéster	poliésteres
poni	ponis
póquer	póqueres
puerco espín	puercos espinos
pura sangre	puras sangres
q	cus
quienquiera	quienesquiera
quinqué	quinqués
quiquiriquí	quiquiriquíes o quiquiriquís
r	erres
rabí	rabíes
radar	radares
rádar	rádares
rail	railes
raíl	raíles
rajá	rajaes o rajás
régimen	regímenes
rehalí	rehalíes
relé	relés
relój	relojes
rentoy	rentóis

revólver	revólveres	tisú
ricadueña	ricasdueñas	todo relieve
ricahembra	ricashembras	tótem
ricohombre	ricoshombres	traspié
riel	rieles	troj
rímel	rímeles	trox
rondó	rondós	
rubí	rubíes o rubís	u
s	eses	v
safari	safaris	valí
salacot	salacots	vanagloria
salvoconducto	salvoconductos	vermú
samuray	samuráis	vermut
senior	seniores	vivac
sí	sís	
sí	síes	whisky
sofá	sofás	
sofá cama	sofás cama	x
somier	somieres	
sordomudo	sordomudos	y
sotaní	sotaníes	yaqué
sóviet	sóviets	yemení
suéter	suéteres	yogui
sufí	sufíes	yogur
		yóquey
t	tes	
tabú	tabúes o tabús	z
tahalí	tahalíes	zaquizamí
tanto por ciento	tantos por ciento	zegrí
tárgum	tárgumes	zig-zag
taxi	taxis	zinc
telefilme	telefilmes	zulú
telesquí	telesquís	
ténder	ténderes	
tetuaní	tetuaníes	
tic	tiques o tics	
tictac	tictaques	
tílburi	tílburis	
tiovivo	tiovivos	

tisú	tisús
todo relieve	todos relieves
tótem	tótemes
traspié	traspiés
troj	trojes
trox	trojes
u	úes
v	uves
valí	valíes
vanagloria	vanaglorias
vermú	vermús
vermut	vermutes
vivac	vivaques
whisky	whiskis
x	equis
y	íes griegas
yaqué	yaqués
yemení	yemeníes
yogui	yoguis
yogur	yogures
yóquey	yoqueis
z	zedas o zetas
zaquizamí	zaquizamíes o zaquizamís
zegrí	zegríes
zig-zag	zigzagues
zinc	zines
zulú	zulúes o zulús

Glosario

acrónimo. Palabra constituida por las iniciales y algunas veces otras letras que siguen a la inicial.

adjetivo. Palabra que acompaña al sustantivo para calificarlo o determinarlo.

adverbio. Palabra que modifica la significación del verbo, del adjetivo o de otro adverbio.

afijo. Partícula que se añade al principio o al final de la palabra para modificar su significado.

africado. Sonido que resulta de combinar una oclusión con una fricación verificadas en el mismo punto de articulación y con los mismos órganos. En castellano hay un fonema africado: *ch*.

alófono. Cada una de las posibles realizaciones de un fonema: /b/ oclusivo y /b/ fricativo.

alveolar. Consonante en cuya emisión intervienen fundamentalmente los alvéolos: /n/.

americanismo. Préstamo de las lenguas indígenas americanas o palabras de uso en los países hispanoamericanos.

anglicismo. Palabra o giro de procedencia inglesa utilizada en otra lengua.

arabismo. Préstamo de la lengua árabe.

arcaísmo. Palabra o expresión que ha dejado de usarse en la lengua común.

auxiliar. Se dice del verbo *haber* que sirve para conjugar los tiempos compuestos de los demás verbos, y el verbo *ser* que se usa para formar la voz pasiva.

barbarismo. Vicio del lenguaje que consiste en pronunciar o escribir mal las palabras o en emplear palabras impropias.

bilabial. Sonido en cuya pronunciación intervienen los dos labios. Son bilabiales los fonemas /p/, /b/ y /m/.

bilingüismo. Coexistencia o uso habitual de dos lenguas en una misma región o país.

calco. Traducción literal de una palabra o expresión extranjera.

catalanismo. Préstamo de la lengua catalana.

ceceo. Realización del fonema /s/ como /z/.

compuesta. Es la palabra formada por la unión de otras: *bocamanga, carricoche*.

común. Se aplica al nombre que puede designar a todos los seres de la misma especie.

concordancia. Igualdad, correspondencia entre los accidentes gramaticales de las palabras variables.

conjugación. Conjunto de todas las formas que puede presentar un verbo según el modo, tiempo, número y voz.

conjunción. Nexo que une palabras y oraciones.

consonante. Sonido en cuya pronunciación se interrumpe el paso del aire aspirado o se produce una estrechez que lo hace salir con fricción: /p/, /f/, /g/, /b/.

contracción. Elisión de una vocal al hacer una sola palabra de otras dos, de las cuales la primera acaba y la segunda empieza por vocal: *a* y *el* forman *al*.

copulativa. Conjunción que une elementos de una frase o frases entre sí de la misma categoría sintáctica.

cultismo. Palabra de origen griego o latino que se ha incorporado a la lengua en época tardía.

demostrativo. Palabra que limita la significación de otra: *adjetivos* y *pronombres: este, ese, aquel...*

dental. Consonante en cuya emisión intervienen fundamentalmente los dientes: /d/.

derivada. Es la palabra formada por una primitiva más prefijo o sufijo, o ambos a la vez: *preparar, deseable, incomparable.*

desinencias. Morfemas verbales de número y persona: ama-*mos*, comenta-*d*, temé-*is.*

determinado. Artículo que indica con precisión el nombre al que va unido: *el, la, lo, los, las.*

diacrítico. Se aplica a los signos ortográficos que sirven para dar a una letra algún valor especial. En el caso del acento, sirve para diferenciar el significado de la palabra que lo lleva del de otra palabra de la misma grafía que se escribe sin él.

diéresis. Son dos puntos (¨) que se colocan sobre la *u* de las sílabas *gue* y *gui* para indicar que esta letra debe pronunciarse: *cigüeña.*

diptongo. Es la unión de dos vocales diferentes, una abierta, *a, e, o* y una cerrada, *i, u,* o las dos cerradas, que se pronuncian en una sola sílaba: *causa, nieto, cielo, ciudad.*

elipsis. Es la omisión de una o más palabras en una oración sin que ésta pierda su sentido.

enclítico. Dícese del pronombre que se une con el verbo que lo precede: *díjole*.

enunciativa. Oración que afirma o niega algo.

entonación. Es la inflexión de la voz para expresar una emoción o para dar sentido a lo que se dice.

etimología. Origen de las palabras.

exclamativa. Oración que expresa sorpresa o admiración.

exhortativa. Oración que expresa ruego o mandato.

extranjerismo. Palabra o expresión de procedencia extranjera, empleada en español.

femenino. Género gramatical de las palabras que designan a las personas o animales del sexo femenino y, por razones puramente convencionales, de algunas palabras que designan cosas.

fonema. Es la imagen mental de un sonido: /a/, /l/.

fonética. Parte de la lingüística que estudia los sonidos sin tener en cuenta su función.

fonología. Parte de la lingüística que se ocupa del estudio de los fonemas considerando su función dentro del sistema lingüístico.

fricativo. Sonido consonántico en cuya pronunciación el aire sale frotando los órganos articuladores que intervienen en su realización: /f/ y /s/.

galicismo. Palabra o giro de procedencia francesa que se utiliza en otra lengua.

galleguismo. Palabra o expresión de origen gallego.

género. Accidente gramatical que indica el sexo de las personas y animales y el que se atribuye a las cosas.

gentilicio. Nombre que designa el lugar de origen de una persona: *argentino*.

germanismo. Palabra o giro procedente del alemán que se emplea en otra lengua.

grafía. Representación gráfica del fonema. También se llama letra.

guarismo. Cifra que representa una cantidad.

helenismo. Palabra de origen griego.

hiato. Encuentro de dos vocales que se pronuncian en dos sílabas distintas. Estas vocales pueden ser: abiertas, *a, e* y *o*; cerradas, *i* y *u*, si es átona la primera, y una abierta átona más una cerrada tónica.

homónimas. Son palabras iguales en su significante o forma, pero distintas en su significado. Pueden ser *homófonas* y *homógrafas*.

homófonas. Son palabras cuyos significantes son iguales sólo fonéticamente: *a ver/haber, hojear/ojear*.

homógrafas. Son palabras que tienen la misma forma ortográfica: *vino* (sustantivo) / *vino* (verbo venir).

imperativo. Modo verbal que expresa ruego o mandato.

indicativo. Modo verbal que expresa una acción real.

infinitivo. Forma no personal del verbo que expresa la acción de una manera general.

inflexión. Elevación o atenuación de la voz.

interdental. Consonante en cuya pronunciación el aire sale entre los dientes /z/.

interjección. Palabra que expresa algún estado de ánimo, impresión, sentimiento, etc.

interrogativa. Oración que expresa una pregunta.

irregular. Se dice del verbo cuya conjugación no se ajusta a la del modelo que le corresponde.

italianismo. Palabra o giro procedente del italiano que se utiliza en otra lengua.

labiodental. Consonante que se pronuncia aplicando el labio inferior a los dientes superiores: /f/.

laísmo. Uso incorrecto del pronombre *la* en lugar de *le*: *la dije*.

lateral. Consonante en cuya pronunciación el aire sale por los lados de la boca: /l/.

leísmo. Uso incorrecto del pronombre *le* en lugar de *lo* o *la*: *le vi*.

letra. Representación gráfica de un fonema.

lexema. Es la base léxica y semántica de la palabra. Se llama también raíz: *cabez*-a, *cabez*-al, *cabez*-ón.

locución. Grupo de palabras con forma fija y valor de adverbio, preposición o conjunción: *de balde*.

masculino. Género gramatical de las palabras que designan a las personas o animales del sexo masculino y, por cuestiones puramente convencionales, de algunas palabras de cosas.

monema. Es la unidad más pequeña de una lengua dotada de significación: *in-, -able*.

morfema. Parte variable de la palabra que completa la significación del lexema: cabez-*a*.

nasal. Consonante que se pronuncia cuando el aire aspirado sale por la nariz: /n/.

neologismo. Palabra de nueva creación en una lengua.

neutro. Se dice del género que no es masculino ni femenino.

nexo. Palabra que sirve de enlace.

número. Accidente gramatical que indica si la palabra significa o se refiere a un objeto único o a más de uno.

oclusivo. Es el sonido consonántico que se produce cuando los órganos que intervienen en su realización están completamente cerrados y el aire debe abrirlos con una pequeña explosión: /p/, /k/ y /d/.

oración. Unidad lingüística con significado completo.

palatal. Consonante en cuya pronunciación la lengua toca o se aproxima al paladar: /l/.

palabra. Es el sonido o conjunto de sonidos articulados que expresan una idea. En la escritura aparece entre dos espacios en blanco.

parónimos. Palabras cuyo significante es parecido y pueden confundirse: *hombre, hambre.*

paroxítona. Palabra que lleva el acento en la penúltima sílaba.

pasiva. Voz del verbo que indica que el sujeto recibe la acción.

plural. Número gramatical de las palabras que se refieren a más de una persona o cosa.

polisemia. Pluralidad de significados de una misma palabra.

prefijo. Es el elemento lingüístico que se coloca al principio de la palabra para formar otras, ya sean derivadas o compuestas: *inter*-cambiar.

presente. Tiempo verbal que expresa una acción que sucede en la misma unidad temporal en la que se habla.

préstamos. Palabras que una lengua toma de otra.

pretérito. Tiempo verbal que expresa una acción que ya ha sucedido.

proparoxítona. Palabra que se acentúa en la antepenúltima sílaba.

proposición. Estructura oracional que se une a otra para formar una oración compuesta.

prosódico, acento. Es la mayor energía o fuerza con que se pronuncia una vocal en una palabra. Dicha vocal se denomina acentuada o tónica.

punto de articulación. Punto del aparato fonador donde se articula la consonante.

relativo. Se dice del pronombre que en la oración sustituye a un sitagma nominal que ya ha aparecido en la oración anterior.

sangrado. Se dice del primer renglón de un párrafo que se escribe más adentro que los demás.

seseo. Defecto de dicción que consiste en pronunciar la *c* y la *z* como la *s*.

significado. Es la idea que nos evoca la palabra.

significante. Sucesión de fonemas –o letras en la escritura– que consituyen la palabra.

signo gráfico. Signo que se utiliza en la escritura. También se llama letra.

signo lingüístico. Unidad del sistema lingüístico. Se llama también palabra.

sílaba. Letra vocal o conjunto de letras que se pronuncian en una sola emisión de voz.

sílaba átona. Sílaba no acentuada.

sílaba libre. Sílaba terminada en vocal.

sílaba postónica. Sílaba posterior a la acentuada o tónica.

sílaba tónica. Sílaba acentuada.

sílaba trabada. Sílaba terminada en consonante.

singular. Número gramatical de las palabras que se refieren a una sola persona o cosa.

sinónimos. Palabras que tienen un mismo o muy parecido significado: *apto, capaz, competente.*

sonido. Pronunciación de un fonema.

sintaxis. Parte de la Gramática que se ocupa de la función de las palabras en la oración y de las relaciones que se establecen entre ellas.

sonoro. Se dice del sonido que se produce acompañado de la vibración de las cuerdas vocales. Son sonoras todas las consonantes excepto *ch, p, z, t, k, s, f* y *j.*

sordo. Es el sonido en cuya realización no intervienen las vibraciones de las cuerdas vocales.

subjuntivo. Modo verbal que expresa posibilidad.

subordinada. Proposición dependiente de otra, en una oración compuesta.

sufijo. Es la partícula que se pospone a una palabra para formar otra derivada: arbol-*ado.*

sujeto. Sustantivo o palabras que hagan sus veces para indicar aquello de lo cual el verbo afirma o niega algo.

tecnicismo. Palabra perteneciente a un lenguaje específico.

tilde o acento ortográfico. Rasgo que se coloca sobre algunas letras para destacar en la pronunciación el acento fónico.

topónimo. Nombre propio de lugar.

triptongo. Pronunciación de tres vocales en una sola sílaba: *averigüéis*.

vasquismo. Palabra de origen vasco.

velar. Consonante que se articula en el velo del paladar: /x/.

vibrante. Consonante en cuya pronunciación la lengua vibra: /r/.

vocal. Sonido que se pronuncia sin obstáculos en su emisión.

vocativo. Es el caso del sintagma nominal que utilizamos para llamar o invocar a alguien. Se construye sin preposición y el lugar que ocupa en la frase es variable. Además, se pronuncia con entonación independiente del resto de la oración.

vulgarismo. Palabra o frase incorrecta propia de personas incultas.

yeísmo. Realización del fonema /ll/ como /y/.

yuxtaposición. Relación de proposiciones por medio de signos de puntuación, sin nexos que las unan.

Índice